DU MÊME AUTEUR

Aux Éditions Gallimard

TRISTANO MEURT
LE FIL DE L'HORIZON
L'ANGE NOIR
PETITES ÉQUIVOQUES SANS IMPORTANCE
DIALOGUES MANQUÉS
LES OISEAUX DE FRA ANGELICO
NOCTURNE INDIEN
LE JEU DE L'ENVERS
FEMMES DE PORTO PIM ET AUTRES HISTOIRES
PIAZZA D'ITALIA
RÊVES DE RÊVES
PEREIRA PRÉTEND
LA TÊTE PERDUE DE DAMASCENO MONTEIRO
UNE MALLE PLEINE DE GENS
REQUIEM

Aux Éditions du Seuil

LES TROIS DERNIERS JOURS DE FERNANDO PESSOA
LA NOSTALGIE, L'AUTOMOBILE ET L'INFINI
AUTOBIOGRAPHIES D'AUTRUI
LA NOSTALGIE DU POSSIBLE

Du monde entier

ANTONIO TABUCCHI

LE TEMPS VIEILLIT VITE

récits

Traduit de l'italien
par Bernard Comment

GALLIMARD

Titre original :

IL TEMPO INVECCHIA IN FRETTA

Μετὰ τὴν σκιὰν τάχιστα γηράσκει χρόνος.

En suivant l'ombre, le temps vieillit vite.

Fragment présocratique
attribué à Critias

LE CERCLE

« Je l'ai interrogé sur cette époque, où nous étions encore si jeunes, ingénus, enthousiastes, stupides, naïfs. Il en est resté quelque chose sauf la jeunesse — m'a-t-il répondu. »

Le vieux professeur s'était interrompu, avec une expression presque contrite, il avait essuyé précipitamment une larme qui lui était apparue sur les cils, s'était donné un petit coup sur le front comme pour dire quel idiot, veuillez m'excuser, avait desserré le nœud papillon à l'incroyable couleur orange et avait dit dans son français marqué d'un fort accent allemand : je vous prie de m'excuser, je vous prie de m'excuser, j'avais oublié, le titre du poème est *Le Vieux Professeur*, de la grande poétesse polonaise Wisława Szymborska, et à ce point il s'était désigné lui-même du doigt comme pour signifier que le personnage de ce poème coïncidait en quelque sorte avec lui, puis il avait bu un autre calva, davantage responsable de son émotion que la poésie, et il avait laissé échapper un demi-sanglot, alors que tous étaient debout à le réconforter : Wolfgang, allons, pas de ça, continuez de lire. Le vieux professeur s'était essuyé le nez dans un grand mouchoir à carreaux : « Je lui ai demandé à propos de la photo », avait-il poursuivi d'une voix de stentor, « celle encadrée sur le bureau. Ils étaient, ils ont été. Frère, cousin, belle-sœur, épouse, sa fillette sur les genoux, le chat dans les bras de la fillette, et le cerisier en fleur, et au-dessus de ce cerisier un oiseau non identifié en train de voler — m'a-t-il répondu. »

Le reste elle ne l'avait pas entendu, ou peut-être n'avait-elle pas voulu l'entendre, un type bien le vieux professeur du canton de Saint-Gall, les cousins de Saint-Gall sont un peu rustiques, mots de la grand-tante entendus un soir dans la cuisine, des créatures étranges, ils ont bon fond, mais ils vivent dans cet endroit isolé entre montagnes et lacs, tandis qu'elle, le vieux professeur de Saint-Gall, elle le trouvait délicieux, il avait même fait des photocopies de la poésie qu'il avait voulu lire en portant un toast, quelle délicatesse, et il les avait mises à la disposition des invités sur la table garnie, parmi les desserts et les fromages, parce que d'après lui c'était le meilleur hommage à la mémoire du grand-père, « mon regretté et inoubliable frère Josef à la place duquel le Seigneur aurait dû m'appeler moi ». Et c'est au contraire lui qui était là, vivant et pétillant, avec plein de veinules rouges sur le nez que l'alcool avaient rendues encore plus évidentes, et pendant ce temps la grand-mère écoutait béate (ou peut-être dormait-elle) l'éloge poétique de son beau-frère à son défunt mari, parce que l'anniversaire de cette mort, dix ans désormais, était la raison de cette solennelle réunion de famille. Il faut commémorer les morts mais la vie continue malgré tout, et la vie qui continue mérite d'être célébrée autant et même plus que les morts, et que les envieux aillent se faire voir, car la famille c'est la famille, surtout une famille historique comme la nôtre, qui déjà au début du XIXe siècle avait des relais de poste partant de Genève et arrivant jusqu'au canton de Saint-Gall, et du lac de Constance jusqu'en Allemagne, et d'Allemagne jusqu'en Pologne, on trouve encore des estampes et des photographies, elles sont toutes dans l'album de famille, et ces anciens relais de poste ont ensuite donné naissance au réseau commercial qui fait qu'aujourd'hui la famille Ziegler est célèbre en Suisse et dans toute l'Europe, les fondateurs sont morts depuis longtemps, les héritiers les plus vieux le seront bientôt, mais la famille continue, parce que la vie continue, voilà pourquoi nous sommes ici à célébrer la vie qui continue, avec nos enfants et petits-enfants, avait triomphalement conclu le grand-oncle de Saint-Gall.

Et ils étaient là, les héritiers de tant de traditions. Le geste théâtral du grand-oncle de Saint-Gall, qui déclamait la poésie d'une voix émue, semblait s'adresser précisément à eux : au petit bonhomme à boucles blondes qui portait déjà une cravate et à la fillette au visage plein de taches de rousseur, tous les deux ignorant que cette main s'adressait précisément à eux, et tous les deux ignorants de la mémoire de cet oncle Josef inconnu d'eux, occupés qu'ils étaient à se disputer une tranche de tarte au chocolat, et le petit garçon, qui l'avait emporté sur sa sœur, portait déjà le signe de sa victoire sous le nez, comme les moustaches d'un théâtre de Guignol, et la dernière belle-fille, la blanche Greta, si prévenante, essuya avec une petite serviette de dentelle, elle aussi de Saint-Gall comme le grand-oncle, la tache de chocolat sur le visage de son bel enfant et sourit. Un large sourire sur un florissant visage de sang et de lait, comme elle l'avait entendu dire une fois dans ce pays, mais peut-être n'était-ce pas à Genève, c'était à Lugano. Quel étrange mélange, la première fois qu'elle avait entendu cette expression ça lui avait donné une drôle de sensation, presque une légère nausée, peut-être parce qu'elle avait imaginé une cruche de lait dans laquelle tombaient des gouttes de sang. Et sa pensée, par elle-même, était retournée à une enfance qui cependant n'était pas la sienne, à un village perdu dans le temps, au pied des montagnes dans un pays qu'ici, dans cette ville de ce pays qui était à présent en train de commémorer un grand-père Josef qui n'était pas le sien et qu'elle n'avait jamais connu, on appelait Maghreb comme si ce pays n'avait pas une identité mais appartenait à une géographie abstraite. Quand elle était enfant elle ne savait pas que le lieu où vivaient ses ancêtres s'appelait Maghreb, eux non plus ne le savaient pas, ils y vivaient et c'est tout, pas plus que ne le savait sa grand-mère dont l'image émergea du souvenir comme d'un puits enfoui, c'était vraiment étrange, car ce n'était pas le souvenir d'une personne, c'était le souvenir qu'on lui avait raconté d'une personne, elle n'avait jamais connu sa grand-mère, comment pouvait-elle se rappeler aussi bien un visage qu'elle n'avait jamais vu ? Puis c'est sa mère qui lui vint en tête, parce que sa mère était forte, mais aussi tellement fragile, et qu'est-ce qu'elle était belle, sa mère, avec ce beau profil altier et des yeux énormes, et elle se souvint de sa façon de parler, avec un accent ancien, très ancien, car elle venait du cœur du désert où n'avaient jamais osé pénétrer les pillards arabes qui faisaient commerce des corps ni les prêtres catholiques qui faisaient commerce des âmes, mieux vaut laisser les Berbères en paix, ce sont des gens dont on ne peut faire commerce. Et en songeant à tout cela elle pensa aussi à l'origine de ce profond sentiment d'elle-même qu'elle sentit un instant affleurer face au geste parfait et décidé avec lequel Greta essuyait la tache de chocolat sur le visage de son enfant. Du néant, ce sentiment provenait du néant, comme le souvenir qui n'était pas un vrai souvenir, mais le souvenir d'un récit, et ce n'était pas encore un sentiment, c'était une émotion, mais quelle émotion était-ce ?, impossible de le dire, il ne s'agissait pas même d'une émotion, seulement de vagues souvenirs, des images provenant d'un temps désert en souvenirs, mais le désert dans lequel avait vécu sa grand-mère était un vrai désert, des kilomètres de néant, du sable, des nuits glaciales, quelques rares maisons d'argile, et de temps en temps le vert avare d'une oasis. Mais dans ce lieu retiré dont affleurait à présent en elle le souvenir de choses seulement entendues, elle n'était plus jamais retournée en pensée, et cela l'étonna. Pourquoi? Pourquoi ces lieux de sable dont sa mère lui avait parlé quand elle était enfant étaient-ils restés enfouis dans le sable de sa mémoire? Les Grands Boulevards, voilà la géographie qui appartenait à sa mémoire, les grandes avenues de Paris où son père avait une élégante étude de notaire avec du papier peint aux murs et des fauteuils en cuir, son père, célèbre avocat d'une grande étude parisienne. À l'étage au-dessus de l'étude il y avait l'appartement où elle avait grandi, un appartement avec des fenêtres très hautes et des corniches en stuc sur les plafonds, un immeuble conçu par Haussmann, on avait toujours dit ça à la maison : c'est un immeuble de Haussmann, et Haussmann était Haussmann, un point c'est tout, mais qu'avait-il à voir avec ce qu'elle était, elle?

Elle se le demanda tandis que Greta avec le mouchoir de Saint-Gall essuyait la tache de chocolat sur le visage de son enfant aux boucles blondes, et ce qu'elle se demandait à elle-même elle aurait voulu le demander à tous les convives de cette fête de famille, cette famille si accueillante et généreuse en train de célébrer un grand-père entreprenant qui avait su transformer de vieux relais de poste en une rentable entreprise commerciale pour affirmer ce que la famille était et possédait à présent, et qui donc lui appartenait aussi à elle, puisque cela appartenait à

Michel. Mais pourquoi évoquer maintenant M. Haussmann ? On l'aurait regardée comme une folle. Ma chère, aurait dit Greta (c'est peut-être bien Greta qui l'aurait dit), mais qu'est-ce que ça a à voir ?, Haussmann ? C'est le plus grand urbaniste français du XIXe siècle, il a refait Paris, tu as grandi dans un des immeubles conçus par lui, pourquoi Haussmann t'est-il venu en tête ? Greta, la florissante Greta toute de sang et de lait, faisait un complexe de vivre à Genève qu'elle considérait comme une ville de province en regard de Paris, et ça allait lui paraître une provocation. Ce n'était vraiment pas une chose à dire dans la salle à manger d'une fête de famille, dans cette solide maison aux amples fenêtres qui donnaient sur le lac, devant cette table couverte de tous les biens que dieu a faits, si on lui avait demandé des explications elle aurait dû parler du désert, on lui aurait demandé ce que le désert avait à voir, elle aurait pu répondre qu'il avait à voir par opposition, c'est que vous, ici devant vous, vous avez un magnifique lac qui déborde d'eau et qui a même un jet au milieu pour la projeter à la verticale à cent mètres de haut, tandis que ma grand-mère était entourée de sable et quand elle était enfant pour prendre une cruche d'eau le matin elle devait aller au puits d'Al-Karib, à présent même le nom m'est venu à l'esprit, et elle devait faire trois kilomètres dans l'obscurité pour aller et trois kilomètres sous un soleil brûlant pour revenir avec la cruche sur la tête, vous ne pouvez pas savoir ce que c'est vraiment que l'eau parce que vous en avez trop.

Était-ce des propos à tenir ? Et eux qu'y pouvaient-ils ? Peut-être aurait-elle pu dire que lui était revenue en tête l'expression sang et lait, vraiment monstrueuse, selon elle, parce que quand elle était petite sa grand-mère l'emmenait parfois le soir avec elle dans l'étable et alors elle regardait fascinée ce liquide blanc que la grand-mère tirait des mamelles des chèvres dans une cuvette de zinc et ensuite elles le portaient à la maison avec la révérence qu'on doit à un trésor tombé du ciel, si dans ce liquide blanc étaient arrivées des gouttes de sang cela lui aurait semblé monstrueux, elle aurait fui d'épouvante, mais elle ne pouvait pas le dire, parce que ce n'était pas un souvenir, c'était une fantaisie, un faux souvenir, elle n'avait jamais été dans cette étable, et ainsi, fuyant un faux souvenir je me trouve à présent ici, pensa-t-elle, dans cette gentille famille qui m'a ouvert les bras avec beaucoup d'affection, je vous prie tous de m'excuser, ce que je dis n'est pas logique et je ne sais pas pourquoi je le dis, surtout devant cet enfant aux joues toutes sang et lait et sa petite sœur aux cheveux roux, je suis confuse, sans doute est-ce parce que je regardais mes mains un peu plus foncées et l'expression lait et sang a eu en moi un écho vraiment étrange, c'est que j'aurais peut-être besoin d'un peu d'air frais, en été il fait plus chaud à Genève qu'à Paris, il y a plus d'humidité, j'aurais peut-être besoin d'un peu d'air, cette fête m'a beaucoup plu, vous êtes tous très gentils, mais c'est comme si j'avais vraiment besoin d'un peu d'air, il y a des années, quand nous étions fiancés, Michel m'avait emmenée jusqu'aux pâturages sur les montagnes, nous y étions allés en autobus, celui qui arrive au dernier village, si je me souviens bien ce n'est pas tellement loin, avec un taxi j'y suis en une demi-heure, au fond les pâturages ne sont pas même à mille mètres, Michel a déjà dû aller faire une sieste, dites-lui de ne pas s'en faire, je serai de retour avant le dîner.

*

Il faisait une grande chaleur. Elle se demanda comment il était possible qu'à mille mètres d'altitude il fît encore plus chaud qu'en ville. Peut-être la ville bénéficiait-elle de l'effet du lac, il est logique qu'un grand bassin d'eau rafraîchisse l'air qui l'entoure. Mais peut-être faisait-il la même température qu'à Genève, c'était peut-être elle qui ressentait la chaleur, une chaleur interne comme quand la température du corps, pour des raisons que seul le corps connaît, devient beaucoup plus élevée que celle de l'air ambiant. Le soleil tapait fort sur le haut-plateau, de plus il n'y avait pas d'arbres, simplement une vaste étendue de prés, ou plutôt, une prairie d'étoupe, il y a toutes ces années, quand Michel l'avait emmenée là-haut pour la première fois, c'était le printemps, le haut-plateau était vert après les pluies hivernales, ils se connaissaient depuis peu, elle n'avait jamais été en Suisse, c'étaient des gamins ou presque, Michel faisait sa dernière année de médecine, il y a donc environ quinze ans, parce que ce mois de juin là il avait obtenu son diplôme et en même temps que le diplôme ils avaient fêté son anniversaire, vingt-cinq ans. Pendant un instant elle pensa au temps, et à ce qu'il pouvait être, mais ce fut un instant seulement car le panorama de cette plaine jaunâtre attira de nouveau ses yeux et ses pensées, c'était une paille courte sur laquelle on marchait mal, l'herbe avait probablement été coupée en juin pour la réserve hivernale des paysans, elle pensa que le vert jaunissait, puis son esprit retourna au calendrier, les mois, les années, les dates, presque quarante ans, dit-elle à voix haute, c'est-à-dire trente-huit, mais trente-huit c'est presque quarante, et je n'ai pas encore eu d'enfant. Elle se rendit compte qu'elle l'avait dit à haute voix, comme si elle s'adressait à une assistance inexistante dans cette plaine brûlée et jaunâtre, et c'est à haute voix qu'elle continua : pourquoi je ne me suis jamais posé la question avant ? Comment se peut-il qu'une femme mariée depuis près de quinze ans n'ait pas encore eu d'enfant et ne se demande pas pourquoi ? Elle s'assit par terre, sur la paille hérissée. Si cela avait été voulu, un accord avec Michel, cela aurait eu un sens, mais ce n'était pas le cas, il en était allé ainsi parce qu'il en était allé ainsi, parce qu'un enfant n'était jamais venu, un point c'est tout, et à cela elle n'avait jamais cherché d'explication, voilà ce qui la surprenait, ça lui avait paru normal, tout comme il lui avait paru normal de grandir dans ce bel immeuble des Grands Boulevards, comme si cet élégant appartement parisien avait été la chose la plus naturelle du monde, mais il n'en était rien, la chose la plus naturelle du monde n'existe pas, les choses existent comme tu les veux si tu les penses et si tu les veux, et alors tu peux les guider, sans quoi elles vont pour leur propre compte. D'accord, se dit-elle, mais alors qu'est-ce qui guide le tout ? Y avait-il quelque chose qui guidât du dehors cette espèce d'énorme respiration qu'elle percevait autour d'elle ?, l'herbe qui devient paille et qui sera de nouveau verte au passage de saison, cette suffocante journée de fin août qui était en train de mourir, et la vieille grand-mère de la maison de Genève pour laquelle elle éprouva tout à coup une grande affection, et aussi le grand-oncle de Saint-Gall, qui buvait trop et lisait des poèmes, elle pensa à son nœud papillon défait et à ses veinules rouges sur le nez et les larmes lui vinrent aux yeux et qui sait pourquoi elle eut l'image d'un enfant qui tenant la main de sa mère revient d'une fête foraine, la fête est finie, c'est dimanche soir et l'enfant tient un ballon plein d'air attaché à son poignet, il le tient fièrement comme un trophée et tout à coup, plof, le ballon se dégonfle, quelque chose l'a crevé, mais quoi, peut-être l'épine d'une haie ? Elle eut l'impression d'être cet enfant qui tout à coup se retrouve avec un bout de caoutchouc dans les mains, quelqu'un le lui avait volé, mais non, le ballon était encore là, on lui avait simplement retiré l'air qu'il y avait dedans. En allait-il donc ainsi, le temps était-il de l'air qu'elle avait laissé sortir par un petit trou minuscule dont elle ne s'était pas rendu compte ? Mais où était le trou ?, elle ne réussissait pas à le voir. Elle repensa à Michel, à ces premières années où il passait ses journées au laboratoire, le soir il rentrait très tard, mort de fatigue, c'était beau de l'attendre jusqu'à minuit et de manger quelques spaghettis faits au dernier moment, Michel cherchait un médicament à même de sauver des enfants, et c'était très beau, mais pourquoi sauver des enfants abstraits si parmi eux ne se trouvait pas leur enfant ? Nettes dans le souvenir revenaient ces soirées, les Nocturnes de Chopin en sourdine, Michel proposait parfois un disque de musique berbère, il disait que le rythme des tambourins calmait sa fatigue et son inquiétude, mais elle, ces tambourins, elle ne les supportait vraiment pas, puis ils allaient au lit dans ce petit appartement qui donnait sur une modeste place de Paris et ils s'aimaient d'un amour intense, mais de cet amour n'était jamais né aucun enfant, pourquoi ?

Et pourquoi se posait-elle justement maintenant la question du pourquoi, dans ce lieu qui ne lui appartenait pas, dans cette plaine désolée et tout enveloppée de la chaleur du mois d'août ? Peut-être parce que Greta, qui avait deux ans de moins qu'elle, avait produit deux magnifiques enfants ? Elle eut exactement ce mot en tête : produit, et elle le regretta, ça lui parut obscène, mais en même temps elle en devina l'intime vérité, qui est la vérité de la chair, car le corps produit, et la chair se reproduit elle-même, en se transmettant tandis qu'elle est vivante, avec les humeurs vitales circulant en elle, quand il y a de l'eau, ce liquide amniotique qui à l'intérieur du placenta nourrit le minuscule témoin qui a reçu la transmission de la chair. L'eau. Il lui sembla comprendre que tout dépendait de l'eau et elle ne put s'empêcher de se demander si son corps manquait d'eau, si elle non plus ne réussissait pas à se soustraire au destin des siens qui pendant des siècles avaient lutté contre le désert en résistant au sable qui recouvre tout et puis avaient dû se rendre et aller ailleurs, et là où vivaient autrefois ses ancêtres les puits étaient désormais ensevelis, uniquement des dunes, elle le savait. La panique l'envahit, son regard perdu fit le tour de cette plaine jaune à l'horizon de laquelle un soleil trop rouge commençait de décliner. Et à ce moment-là elle vit les chevaux.

C'était un troupeau d'une dizaine de chevaux, peut-être plus, presque tous de pelage gris, certains tachetés. Mais un peu en avant des autres, le col tendu dans une pose altière, comme s'il était chef de bande, se trouvait un étalon noir qui d'un de ses sabots gratta la terre et hennit. Ils n'étaient pas très éloignés, pas plus de deux ou trois cents mètres, mais elle ne les avait pas vus et c'est seulement quand elle les regarda qu'il lui sembla que eux aussi la regardaient, et c'est alors que l'étalon hennit plus fort, et comme si le fait de s'être regardés était le signal qu'ils attendaient, les chevaux se mirent en mouvement en ondulant dans l'air tremblant de ce chaud après-midi, l'étalon secoua sa crinière, hennit encore plus fort et partit au galop en entraînant le troupeau derrière lui. Elle les regardait avancer, incapable de bouger, se rendant compte que l'espace de la vaste plaine avait faussé la perspective, ils étaient plus éloignés qu'il ne lui avait semblé, ou alors ils mettaient trop de temps à s'approcher, comme dans certaines scènes au cinéma quand les mouvements se font plus lents dans l'espace, presque liquides, comme si les corps étaient dotés d'une grâce cachée qu'un étrange sortilège nous révèle. Ainsi avançaient-ils, les chevaux, avec cet enchaînement fluide que nous donne parfois le rêve, comme s'ils flottaient en l'air, mais leurs sabots touchaient terre parce que derrière eux s'était élevé un épais rideau de poussière qui de ce côté-là voilait l'horizon. Ils avançaient en changeant de disposition, tantôt en file indienne, tantôt s'ouvrant en éventail, tantôt s'écartant comme si chacun poursuivait un but différent, et se réunissant finalement en une file compacte, tandis que la tête et le cou de chacun suivaient le même rythme à la même cadence au moment de s'ouvrir à nouveau en éventail, comme une onde marine faite de plusieurs corps. Un instant elle pensa à fuir, mais comprit qu'elle ne le pouvait pas. Elle se tourna vers les animaux et demeura immobile, tenant les mains croisées sur ses seins, comme pour les protéger. À ce moment le cheval noir freina sa course en plantant ses sabots dans la poussière, et avec lui c'est tout le troupeau qui s'arrêta, comme si la baguette d'un chef d'orchestre inconnu avait décrété une pause dans ce mystérieux ballet sans musique, il s'agissait seulement d'un intervalle, elle le sentit clairement. Elle les regarda et attendit, ils n'étaient pas à plus de dix mètres, elle pouvait bien voir leurs grands yeux humides, leurs naseaux qui palpitaient, haletant, la sueur qui luisait sur les croupes. Le cheval noir souleva sa patte droite, comme font les chevaux au cirque quand le spectacle équestre commence, il la laissa suspendue en l'air un instant puis s'élança en commençant à lui tourner autour, et en tournant ses sabots creusèrent dans le sol un cercle exact, et alors, à croire qu'il s'agissait d'un signal convenu, tous les autres chevaux se mirent à le suivre, d'abord au trot puis à un galop qui peu à peu augmentait d'intensité, marqué par la vitesse que dictait l'étalon, comme un carrousel dont les freins ont lâché et qui tourbillonne en folie. Elle les voyait ainsi foncer autour d'elle en une ronde toujours plus rapide, à une vitesse telle qu'il n'y avait plus d'espace entre un cheval et l'autre mais seulement un mur de chevaux devenus un seul, la silhouette ininterrompue d'un cheval dont la tête se prolongeait en une queue et dont la queue était une tête, et les sabots, soulevant un nuage de poussière qui l'enveloppait, résonnant sur le sol aride lui parurent le son des tambours d'un lieu dont elle ne conservait aucune mémoire mais qu'elle entendit avec une netteté absolue, et pendant un instant elle vit des mains qui tapaient sur la peau des tambours, la musique qui arrivait à ses oreilles sortait du sol, comme si la terre tremblait, elle l'entendit, avant d'arriver aux oreilles elle montait des pieds aux jambes, au tronc, au cœur, au cerveau. Et pendant ce temps les chevaux tournaient en cercle, toujours plus rapides, rapides comme ses pensées devenues elles aussi un cercle, une pensée qui se pensait elle-même, elle prit seulement conscience de penser qu'elle pensait, rien d'autre, et à cet instant le chef du troupeau, aussi soudainement qu'il avait dessiné un cercle, le rompit, d'un écart inattendu qui semblait se soustraire aux lois de la nature il traça une tangente en entraînant derrière lui tout le troupeau et en quelques secondes les chevaux s'éloignèrent au galop.

Elle se trouvait là, regardait le scintillement des paillettes soulevées par la poussière qui brillait dans la lumière du crépuscule, elle pensa qu'elle devait continuer à penser de ne penser à rien, elle s'assit en fouillant le chaume de ses doigts, cherchant la terre, le soleil était en train de disparaître et la lumière orange avait déjà une pointe d'indigo, de cette hauteur l'horizon était circulaire, c'était comme si le cercle dessiné par les chevaux s'était dilaté à l'infini et s'était transformé en horizon.

PLOC PLOF, PLOC PLOF

La douleur qui le réveilla courait le long de la jambe gauche, de l'aine au genou, mais l'origine était ailleurs, il le savait désormais trop bien. Avec le pouce il commença de presser depuis le coccyx vers le haut, quand il arriva entre la troisième et la quatrième vertèbre il sentit une sorte de courant électrique qui lui parcourait le corps, comme s'il y avait eu sur ce point un centre radial qui lançait ses ondes partout, de la nuque jusqu'aux doigts de pied. Il essaya de se retourner dans le lit. À la première tentative la douleur le paralysa. Il resta sur le côté, ou plutôt, même pas sur le côté, à moitié sur le flanc, qui n'est pas une position précise, c'est une tentative de position, une transition. Il resta suspendu dans son mouvement, si cela peut être, comme dans certains tableaux des baroques italiens où la sainte ou le saint, gracieusement tarentulés par le jeûne ou par le Christ, sont demeurés en suspension dans un mouvement que le peintre a saisi à jamais de son coup de pinceau, car les peintres fous, qui sont les génies, ont une extraordinaire capacité à cueillir le mouvement non fini du personnage qu'ils figurent, habituellement fou lui aussi, et le miracle pictural s'accomplit en une forme de bizarre lévitation qui semble faire abstraction de la force de gravité.

Il essaya de remuer les doigts de pied. Avec un peu de douleur ils bougeaient, y compris le gros orteil, celui qui comportait le plus de risque. Il resta ainsi, sans le courage de se déplacer d'un millimètre, regardant ses orteils, et il pensa à ce pauvre garçon pragois qui un jour s'était réveillé hors contexte, en ce sens qu'au lieu d'être sur son dos il était sur une carapace, et en regardant le plafond de sa chambre, qu'allez savoir pourquoi il imaginait céleste, il agitait en vain ses petites pattes velues en se demandant que faire. Cette pensée l'irrita, non tant pour la comparaison que pour l'appartenance au genre : la littérature, encore la littérature. Il tenta une phénoménologie expérimentale de la situation. Il se donna du courage et bougea le flanc d'un centimètre. La douleur partit de la quatrième vertèbre, précise comme une flèche, et se dirigea d'abord vers la nuque — il put presque en entendre le sifflement — puis fit le parcours inverse, arriva à l'aine et de là se diffusa dans toute la jambe. *Comment parler avec son propre corps*, qu'il avait lu avec scepticisme mais aussi une certaine curiosité, il ne pouvait le nier, était un livre de divulgation et probablement peu crédible en termes scientifiques, mais pourquoi ne parlerait-on pas avec son propre corps ?, il y a des gens qui parlent avec les murs. Dans sa jeunesse il avait lu le roman d'un auteur alors très en vogue, puis injustement oublié, un type bien, qui sur certaines choses y allait carrément et qui dans ce livre parlait avec son propre corps, ou plutôt un point bien précis du corps, qu'il appelait « lui », et il en découlait un dialogue tout sauf banal. Mais là ce n'était pas le cas, parce que son « lui » n'y était pour rien, et il se limita ainsi à dire : jambe, oh jambe ! Il la bougea et elle lui répondit par une douleur lancinante. Le dialogue était impossible. Il l'allongea avec beaucoup de précaution et la douleur se concentra sur la colonne. Colonne infâme. Il s'énerva à nouveau. Il pensa que s'il appelait le docteur, avec lequel il était désormais trop en confidence, celui-ci allait lui dire qu'il était malade de littérature, observation déjà faite par le passé. Il lui semblait l'entendre : mon cher, le problème tient au fait que tu assumes des positions fausses, ou plutôt que tu as assumé des positions fausses pendant toute ta vie, pour écrire, car le problème est que malheureusement tu écris, sans vouloir t'offenser, au lieu de mener une vie plus conforme à l'hygiène et au bien-être, c'est-à-dire aller à la piscine ou courir en short comme le font certains hommes de ton âge, en se tenant bien à l'écart de la ligne blanche pour ne pas être renversés, toi tu es tout recroquevillé à écrire tes livres à journées faites, et en plus d'être voûté, comme je l'ai vu, tu es aussi tout tordu au point de ressembler à un sablé mal réussi, ta colonne vertébrale a l'allure de la mer quand il y a le mistral, elle est toute tordue, désormais tu ne pourras plus la remettre en place, tu pourrais simplement essayer de moins la tourmenter, les radiographies que je t'ai apportées tu ne sais pas les lire, me semble-t-il, demain pour te faire comprendre une bonne fois pour toutes je vais t'apporter la colonne vertébrale en plastique sur laquelle j'étudiais à l'université, elle est articulée, et je vais la modeler sur la tienne, de façon que tu voies bien dans quel état tu l'as réduite.

*

On lui a mis l'oxygène parce que la respiration est difficile, a dit le médecin, mais l'état est stationnaire, soyez tranquille. Ce qui signifiait : soyez tranquille pour cette nuit, elle la passera. Il entra sur la pointe des pieds. La chambre était dans la pénombre. La dame du lit voisin dormait. C'était une femme blonde un peu grassouillette qui la veille avait passé l'après-midi à son portable, étendue en robe de chambre sur son lit en attente de l'intervention qu'elle devait subir dès que possible, disait-elle. Et elle ajoutait : je ne sais pas pourquoi je suis entrée précisément aujourd'hui alors qu'avec les jours de Pâques le restaurant que nous avons à Porto Venere est plein archi-plein, vous savez, cher vous (elle l'appelait ainsi, cher vous), nous sommes un des très rares restaurants de la côte de la Ligurie à apparaître dans le guide Michelin, et, pensez un peu, je suis venue me faire faire cette petite intervention justement ces jours-ci, quand la clientèle fait la queue, on peut pas être plus idiot, pour quatre calculs à la vésicule biliaire, Armando, Armando (entre-temps Armando, qui devait être son époux, avait appelé sur le portable), s'il te plaît ne fais pas dresser les tables par Leopoldina, elle fait de son mieux mais elle se trompe toujours dans la disposition des verres, elle met celui du vin au mauvais endroit, j'ai essayé de le lui apprendre pendant tout l'hiver mais ça ne lui entre pas dans la tête, c'est une fille de la campagne, à plus tard Armando, je compte sur toi. Et après avoir ainsi liquidé Armando elle avait continué sans transition : vous comprenez, cher vous, des clients exigeants, presque tous sont de Milan, ou du moins lombards et comme vous le savez bien c'est la Lombardie qui est la locomotive de notre pays, ils sont riches parce qu'ils travaillent, et on comprend qu'ils soient exigeants, et si un Milanais te dit je paie et je prétends à ceci tu ne peux rien objecter, parce que si quelqu'un paie il a des prétentions, cher vous, c'est logique. Puis elle s'était mise à lui décrire dans le détail la spécialité de la maison, les tagliatelles au homard, mais heureusement elle s'était interrompue au milieu car Armando l'avait rappelée.

Il se garda bien de passer près d'elle, fit le tour du lit et s'assit de l'autre côté, au chevet de l'autre petit lit. La tante ne dormait pas, on aurait dit qu'elle dormait mais à peine elle entendait un bruissement elle ouvrait les yeux. Quand elle vit qu'il était arrivé elle enleva le tube d'oxygène. Elle tenait à se montrer comme si son corps n'avait pas été dévasté par la maladie, même de sa position allongée elle réussit à le toiser de la tête aux pieds, elle remarqua tout de suite la canne qu'il tenait entre les jambes, peut-être lut-elle la souffrance sur son visage, même si les fortes douleurs étaient maintenant passées avec les calmants. Qu'est-ce qui t'est arrivé ? demanda-t-elle, tu étais bien, hier. C'est depuis ce matin, dit-il, je ne sais pas, j'ai parlé au médecin, il semble que ma colonne vertébrale ait eu un krach comme en mai de l'année dernière, il faudrait une nouvelle radiographie, je la ferai dès que je pourrai. Elle lui fit un signe du doigt, un signe d'avertissement : en Italie les krachs ne donnent de bons résultats que s'ils sont financiers, susurra-t-elle, aujourd'hui la dame du lit voisin a passé une partie de l'après-midi à regarder la télévision, elle a demandé qu'on en mette une dans la chambre, elle dit que c'est son droit parce que c'est une chambre payante, on lui a donné des oreillettes pour ne pas me déranger, à un moment ils ont interviewé le mirliflore de la Telecom qui a fait un trou de je ne sais combien de millions, avec ce krach il s'est mis au chaud. Malheureusement le mien n'est que vertébral, répliqua-t-il. La conversation se déroulait de bouche à oreille, des fois que la blonde se réveillerait pour se mettre à raconter la deuxième partie de la recette des tagliatelles au homard. Il ne te faut plus venir, dit-elle, des journées et des nuits assis sur cette chaise, tu te détruis, avec une colonne vertébrale comme la tienne, reste chez toi pendant quelques jours. Mais qu'est-ce que tu dis ?, dit-il, excuse-moi, je vais rester chez moi le ventre en l'air comme voudrait le docteur tandis que tu es dans ce lit, chez moi je déprime, au moins ici nous bavardons. Ne raconte pas de bêtises, dit-elle, quels bavardages, en une journée je dis à peine trois mots, la respiration ne tient pas le coup, et elle sourit. C'était étrange ce sourire sur son visage ; dans le masque de souffrance dessiné par la maladie, il restituait la femme très belle aux pommettes saillantes et aux yeux énormes que le mal avait ensevelie dans un gonflement diffus, comme si refaisait opiniâtrement surface la jeune fille qui avait tenu lieu de mère à l'enfant qu'il était quand sa mère ne pouvait pas lui être une mère. Et lui revint une image que la mémoire avait effacée, une scène précise, la même expression que sa tante avait maintenant sur le visage, et sa voix qui disait à sa sœur : tu ne dois pas t'en faire, va à l'hôpital en toute tranquillité, je vais m'occuper de l'enfant comme si c'était le mien, sans penser à rien d'autre. Et à la suite lui arriva l'image d'Enzo, émergeant d'une éternité de temps arriva Enzo, le judicieux étudiant en droit, Enzo, si bien sur lui, si bien éduqué, qui après la licence serait entré comme stagiaire dans l'étude du grand-père car il allait épouser la tante, et il avait tellement de bonne volonté, Enzo, tout le monde le disait, et toujours émergeant du puits des souvenirs il vit Enzo qui agitait les bras et hurlait, lui si bien sur lui et si bien éduqué hurlait à la tante qu'elle était folle : mais tu es folle, je suis en train de passer les examens d'État et tu t'en vas avec le petit pour trois mois à la montagne, et quand est-ce qu'on va se marier, alors ! Et il revit celui qu'il était alors, un petit enfant maigrichon, avec des lunettes déjà de myope, il ne comprenait pas, et puis pourquoi cette douleur constante au genou gauche, il ne voulait pas aller dans les Dolomites, c'était loin, et puis à la montagne il n'y avait pas son ami Franco pour jouer aux gendarmes et aux voleurs, la tante se tourna d'un coup, sa voix était glaciale et basse, il n'avait jamais entendu ce ton, elle dit : Enzo, tu ne comprends rien, tu es un pauvre gars, et tu es aussi un peu fasciste, je t'ai entendu avec tes amis critiquer mon père pour ses idées, cet enfant a une tuberculose osseuse à un genou, il lui faut la montagne, et à la montagne c'est moi qui l'amène avec mes sous, pas avec les tiens, qui n'en as pas, sinon ceux que mon père te donne chaque mois par charité, et si tu veux t'en aller voir ailleurs c'est le bon moment. Aller voir ailleurs : était-il possible que la tante ait utilisé cette expression ? Pourtant les mots lui résonnaient dans les oreilles : aller voir ailleurs.

Pour le reste de l'après-midi elle a parlé de ses calculs à la vésicule biliaire, lui susurra-t-elle à l'oreille, figure-toi s'ils l'ont hospitalisée dans un pavillon comme celui-ci pour des calculs à la vésicule biliaire, il s'agit d'autre chose que ça, la pauvre, et puis elle a regardé Il Grande Fratello[1], c'est son émission pré-

1. Émission de téléréalité conçue sur le modèle du *Big Brother* hollandais, avec les occupants d'un appartement filmés en continu, et diffusée depuis l'an 2000 sur différentes chaînes du groupe de télévision privée Mediaset. *(N.d.T.)*

férée, je faisais semblant de dormir, de sorte qu'elle a enlevé les oreillettes et a mis le son très bas mais je pouvais suivre moi aussi, je n'ai pas voulu appeler les infirmières, que veux-tu, éduquer le peuple est du temps perdu, du reste ce peuple est maintenant devenu riche et c'est le Grande Fratello qui l'a éduqué, voilà pourquoi ils votent pour lui, c'est un cercle vicieux, ils votent pour qui les a éduqués, tu as manqué la fin des tagliatelles au homard mais j'ai voulu me donner une petite satisfaction, tu sais combien elle fait payer une portion de tagliatelles au homard à ses clients lombards ?, cinquante euros, et c'est du homard surgelé, je le lui ai fait avouer. Elle semblait ne plus avoir envie de parler, elle avait tourné la tête sur l'oreiller. Mais elle murmura encore : Ferruccio, j'ai envie de dire des paroles que de toute ma vie je n'ai jamais dites, ou que je n'ai dites que trop rarement, quand personne ne m'entendait, mais maintenant j'aurais vraiment envie de les dire à voix haute, et si celle-là se réveille tant pis. Il approuva de la tête et lui fit un clin d'œil. Quelle crétine, ou plutôt, quelle conne, dit-elle. Puis elle ajouta : c'est toute une bande de cons. Elle ferma les yeux. Peut-être s'était-elle vraiment endormie.

*

Ferruccio. Le prénom lui vint en tête. Quelques rares fois elle l'avait appelé Ferruccio, mais quand il était enfant, et puis plus rien. Son oncle s'appelait

Ferruccio, mais on ne l'appelait pas Ferruccio, c'était un prénom d'état civil, de ceux qu'on donne mais qu'on n'utilise pas, dans leur région ça arrivait, on donnait au nouveau-né le prénom d'un quelconque grand-parent, en hommage à sa mémoire, et puis on l'appelait autrement. Le frère de sa tante il l'avait toujours entendu appeler Cesare, et parfois Cesarino, peut-être était-ce le deuxième prénom, Ferruccio Cesare, qui sait, mais sur la pierre tombale il n'y avait pas Cesare, il y avait seulement Ferruccio. La seule personne qui avait toujours appelé Ferruccio son frère Cesare était la tante, il était mort à la guerre de Mussolini, sur les photographies envoyées de cette île grecque où il avait avec les autres refusé de se rendre aux Allemands il était un petit officier maigrichon avec un visage honnête et des cheveux bouclés, il faisait des études pour devenir ingénieur, quand il avait reçu en mil neuf cent trente-neuf l'avis de mobilisation la tante avait eu une furieuse dispute avec lui, elle le lui avait une fois raconté, elle ne voulait pas qu'il parte, mais où veux-tu que j'aille, objectait-il, tu es folle ?, dans les montagnes ici derrière, disait-elle, où il y a les grottes, il ne faut pas partir à la guerre pour ces cafards. Mais en mil neuf cent trente-neuf il n'y avait encore personne dans les montagnes, il y avait seulement les lapins de garenne et quelque renard, la tante était toujours en avance sur son temps, et c'est ainsi que Ferruccio était parti pour le Duce et pour le roi.

Il s'approcha jusqu'à lui effleurer le visage. Elle ne

dormait pas : elle ouvrit les yeux tout à coup et lui mit un doigt sur les lèvres. La voix de la tante était un chuchotement tellement faible qu'on aurait dit le bruissement du vent. Mets la chaise par ici et approche ton oreille de ma bouche, dit-elle, mais ne crois pas que je suis en train d'expirer, je parle comme ça sinon la restauratrice va se réveiller, si on lui interrompt son rêve elle s'inquiétera, elle rêve d'un homard. Il rigola tout doucement. Ne ris pas, dit-elle, j'aurais envie de parler, je voudrais te parler, ensuite je ne sais pas s'il y aura une autre occasion. Il fit un signe de la tête et lui demanda à l'oreille : de quoi veux-tu me parler ? De ton enfance, dit-elle, de quand tu étais un enfant si petit que tu ne peux pas t'en souvenir. C'était le sujet auquel il s'attendait le moins. Elle le devina, rien n'échappait à la tante. Ne t'étonne pas, dit-elle, ce n'est pas si étrange, tu te crois tellement intelligent et peut-être n'y as-tu jamais pensé, les souvenirs de notre petite enfance ce sont ceux qui étaient alors déjà adultes qui les ont, on ne peut pas se rappeler des souvenirs tellement lointains, il faut des personnes qui à cette époque étaient déjà grandes, si je ne te le dis pas il te restera peut-être quelque chose, mais dans un gros brouillard confus, comme quand tu as rêvé mais que tu ne te rappelles pas bien quoi et alors tu ne fais même pas l'effort de te souvenir parce que ça n'a pas de sens de chercher à se souvenir d'un rêve qu'on a oublié, le passé est ainsi fait, surtout s'il est largement passé, et par exemple du temps où moi et ton oncle Ferruccio nous étions enfants je ne devais plus me souvenir et pourtant je m'en souviens comme si c'était hier même si plus de quatre-vingts ans ont passé, parce que ta grand-mère dans les derniers jours de sa vie a eu l'idée de me raconter comment j'étais quand je ne savais pas encore qui j'étais, quand je n'avais pas encore conscience de moi, tu n'y avais jamais pensé ? Il fit signe que non, qu'il n'y avait jamais pensé, et dit : tu veux me parler de quand exactement? De quand tu avais cinq ans et qu'à la maison ils s'étaient résignés à croire que tu étais un peu attardé, comme avait dit la maîtresse de l'école maternelle, mais moi ça ne m'allait pas, comment pouvais-tu être attardé alors que tu avais déjà appris à écrire ton nom, je t'avais enseigné l'alphabet et tu l'avais su en un clin d'œil, je dessine les lettres au tableau, disait la maîtresse, je les lui fais répéter, tous les enfants répètent et lui il reste muet, il y a deux possibilités, ou c'est un enfant difficile et il est réfractaire, ou alors il ne comprend vraiment pas. Je saisis le problème un peu par hasard, c'était en juillet, nous étions à Forte dei Marmi, une dame passait sur la plage avec un tablier blanc et un panier au bras et elle criait : des beignets !, nous étions sous le parasol, à une trentaine de mètres, tu voulais un beignet et ton père était sur le point d'appeler la dame mais moi je t'ai dit : Ferruccio, va le prendre tout seul, je vais te donner les sous, tu te souviens? Il ne dit rien, vagua dans sa mémoire. Fais un effort, dit-elle, regarde si tu peux attraper ce souvenir, tu étais assis sur une bouée de caoutchouc blanc et noir que ton père t'avait fabriquée avec la chambre à air d'un vélomoteur sur laquelle il avait attaché un col d'oie en papier mâché imperméable qu'il avait trouvé dans les hangars où étaient construits les chars de carnaval, ce devait être un des premiers carnavals de Viareggio, après le désastre, tu le tenais dans tes bras toute la matinée mais tu n'avais pas le courage de l'apporter dans l'eau, maintenant tu te vois ? Il se vit. Ou plutôt, il lui sembla se voir, il vit un petit enfant frêle qui embrassait un pneumatique auquel on avait attaché un col d'oie et le petit enfant disait à son père : je veux un beignet. Je le vois, tante, confirma-t-il, je crois y être. Alors je t'ai dit d'aller le prendre toi-même, susurra-t-elle, tu as abandonné l'oie et tu as couru vers ce tablier blanc sur la plage, vite vite, de peur qu'elle ne s'en aille, mais tu es parti dans la direction d'un monsieur imposant qui se trouvait au bord de l'eau à montrer comme il était élégant avec son peignoir blanc, celui-ci t'a pris par la main sans comprendre et nous a appelés avec un air condescendant, et j'ai dit à ton père : cet enfant ne voit pas de loin, il est super myope, voilà pourquoi il ne voit pas le tableau en classe, rien d'attardé là-dedans, amenez-le chez l'oculiste. Il se souvint du vocabulaire de la tante. Elle ne disait jamais qu'un jeu était beau, un jeu était super beau, et elle ne lui avait pas acheté un livre coloré, mais super coloré, et il fallait aller faire une promenade parce que ce jour-là le ciel était super bleu.

Entre-temps elle était passée de la plage à un autre souvenir, murmurant dans le silence de cette chambre pleine d'engins autour du lit : les bonbonnes, les tuyaux en plastique et les aiguilles qui lui entraient dans les bras, puis elle se tut et brusquement le silence devint pesant, les bruits de la ville arrivaient comme d'une autre planète grâce au grand parc qui isolait l'hôpital de tout le reste. Et dans ce silence il écoutait la voix qui lui susurrait à l'oreille, penché comme ça en avant, curieusement la douleur au dos avait cessé et derrière cette voix tellement faible il était en train de naviguer en un lui-même qu'il avait perdu, en avant et en arrière comme un cerf-volant qui bouge au bout du fil, et d'en haut, de ce cerf-volant sur lequel il était assis, il commença à apercevoir : un tricycle, la voix d'une retransmission en soirée à la radio, une madone dont tout le monde disait qu'elle pleurait, une fillette d'une famille de réfugiés, avec des nœuds dans les tresses, qui en sautillant sur un dessin à la craie tracé par terre s'exclamait : case numéro un pain et salami !, et d'autres choses du genre, la tante parlait désormais dans l'obscurité parce que la lumière basse du plafond avait elle aussi été éteinte, il ne restait que celle bleutée au-dessus du lit et la lame d'un néon blafard qui entrait par la fente de la porte. Elle ferma les yeux et se tut, elle paraissait épuisée. Il se redressa sur sa chaise et sentit une douleur aiguë entre les vertèbres, comme une aiguille. Elle s'est endormie, pensa-t-il, maintenant elle s'est vraiment endormie. Au contraire elle lui effleura la main et il approcha à nouveau l'oreille de ses lèvres. Ferruccio, l'entendit-il dire en un souffle, tu te souviens comme elle était belle l'Italie ?

*

Comme la nuit peut être présente. Elle s'impose de sa seule présence, faite seulement d'elle-même, elle est absolue, chaque espace lui appartient, de la même présence que le fantôme dont tu sais qu'il est là en face de toi mais qui est partout, y compris dans ton dos, et si tu te réfugies dans un petit coin de lumière tu deviens prisonnier de celui-ci, parce que autour, comme une mer qui circonvient ton petit phare, il y a l'infranchissable présence de la nuit.

D'instinct il enfonça sa main dans sa poche et prit les clés de la voiture. Elles étaient attachées à un petit engin noir grand comme une boîte d'allumettes avec deux boutons : l'un actionnait un petit point de lumière rouge qui ouvrait et fermait la voiture, tandis que de l'autre, un minuscule œil avec une lentille convexe, sortait un puissant filet de lumière fluorescente. Il dirigea la lumière blanche vers le sol. Elle traversait l'obscurité comme un laser. En traçant des gribouillages de lumière il arriva jusqu'à ses propres chaussures, comme c'était étrange, sans cela il ne se serait jamais aperçu que c'était encore *ces* chaussures. Italian shoes ?, avait-elle demandé de la petite table d'à côté, en les regardant avec intérêt. Cela avait commencé ainsi, par les chaussures. Bien sûr, italian shoes, madame, dit-il pour lui-même, cousues main, cuir de première qualité, et regardez l'empeigne, les chaussures se jugent surtout à l'empeigne, madame, touchez ici, enfilez-y un doigt, n'ayez pas peur, vous n'allez pas me chatouiller, do you like ? Mais pourquoi quelqu'un devait-il garder une paire de chaussures pendant vingt ans, fût-ce de pures italian shoes, elles deviennent des épaves, les vieilles chaussures il faut les jeter. Le fait est que je suis bien dedans, madame, se dit-il, je les mets parce que je suis bien dedans, n'ayez pas l'illusion que ces godasses éculées puissent représenter la madeleine de vos beaux cils, c'est que depuis quelque temps mes pieds gonflent un peu, surtout le soir, c'est la circulation, cette discopathie du diable m'a provoqué une sténose à l'artère d'une jambe, les vaisseaux capillaires s'en ressentent et me font gonfler les pieds, madame.

Il leva avec précaution le mince rayon de lumière vers la paroi, comme un détective qui enquête pour trouver des traces dans le néant, évita l'espace de la malade, surtout son corps, en faisant courir lentement le point lumineux sur le lit, partant du haut. Il cataloguait. Un : la poche de plastique pleine de cette matière laiteuse, avec un petit conduit qui descendait sous le drap : la nourriture. Deux : à sa droite une sorte de drainage qui aboutissait à un récipient à côté du lit. Trois : l'appareil à oxygène qui bouillait dans l'eau avant d'arriver dans le nez mais qui ne faisait aucun bruit, dont le tuyau s'était détaché quand elle avait retiré le respirateur. Quatre : une petite bouteille blanche suspendue la tête en bas avec un petit tuyau très fin qui faisait un coude où les gouttes se cognaient l'une après l'autre pour descendre vers le bras à un rythme immuable : la morphine. À ce rythme, sans variation tout le jour et toute la nuit, les médecins administraient la paix artificielle à un corps que la douleur aurait sans cela secoué violemment comme une tempête. Il aurait voulu détourner le regard, mais n'en fut pas capable, comme si le rythme monotone de la chute provoquait en lui un état de fascination, d'hypnotisme. Il pressa le petit bouton et éteignit la lumière. Et alors il les entendit, les gouttes. Elles commencèrent avec un bruit sourd et souterrain, comme si elles venaient du sol ou de la paroi : ploc plof, ploc plof, elles gagnèrent l'intérieur de son crâne mais sans résonner, elles frappaient contre le cerveau mais n'avaient pas d'écho, chacune était précise comme un claquement qui heurte et disparaît pour laisser aussitôt place au claquement suivant, tout à fait semblable au claquement précédent, mais avec en réalité un timbre différent, comme quand il commence à pleuvoir sur la rive d'un lac, et si tu y prêtes l'oreille tu te rends compte qu'il y a une variation de son de goutte en goutte, parce que le nuage ne fait pas des gouttes toutes pareilles, les unes sont plus grosses et les autres plus petites, c'est une question d'oreille, ploc plof, ploc plof, celles-ci aussi produisaient un son identique selon une échelle musicale qui leur était propre, et après être arrivées en sourdine à l'intérieur de son crâne elles se mirent à augmenter d'intensité, au point qu'il les entendit exploser dans sa tête comme si la boîte crânienne ne pouvait plus les contenir, puis s'évader par les oreilles pour éclater dans l'espace environnant, telles des cloches devenues folles dont les ondes sonores croissent jusqu'à l'acmé. Et alors par sortilège, un peu comme si son corps avait été un aimant capable d'attirer les ondes sonores, il entendit qu'elles se dirigeaient toutes vers lui en essaim, non en direction de son cerveau, mais de ses vertèbres, en un point précis des vertèbres comme si elles étaient le puits d'eau où le câble du paratonnerre décharge la foudre. Et il entendit aussi qu'en ce point, tout en s'éteignant, elles déchiraient le manteau que la nuit étendait sur le monde, elles le lacéraient. Les petites fentes noires du store commencèrent de pâlir. C'était l'aube.

*

Et si on jouait au Jeu du Si ? Le souvenir arriva avec une voix qui venait de la petite table à côté de la sienne, comme si l'oncle était caché là, derrière la haie qui délimitait la terrasse du café. Cette fois c'était la voix de l'oncle, et d'ailleurs ce jeu c'est lui qui l'avait inventé. Pourquoi ? Parce que le Jeu du Si fait du bien à l'imagination, surtout durant certains jours de pluie. Disons que nous sommes à la mer, ou à la montagne c'est égal, étant donné que l'enfant est malade et que la mer ou la montagne lui font du bien, sans quoi un méchant termite va lui ronger le genou, et par exemple c'est septembre, et il pleut parfois en septembre, pas grave, chez lui, s'il pleut, un enfant a plein de choses à faire, mais dans cette villégiature forcée, surtout dans une petite maison de location aménagée au rabais, ou pire encore dans une pension, s'il pleut l'ennui s'installe, et avec lui la mélancolie. Mais heureusement il y a le Jeu du Si, de sorte que l'imagination travaille, et le plus fort est celui qui propose des choses de fou, fou à lier, mon dieu quels éclats de rire, écoutez celle-ci : et si le pape atterrissait à Pise ?

Il demanda un double expresso dans une grande tasse. Le parc de l'hôpital commençait à s'animer : deux jeunes médecins en blouse blanche qui bavardaient, une camionnette où était écrit fournitures hospitalières qui se mit en marche, sur la petite allée latérale arriva un homme vêtu d'une salopette et muni d'une balayette et d'un sac en plastique, il s'arrêtait de temps en temps et ramassait une feuille ou un mégot. Il étendit sur la petite table la serviette de papier qui était pliée à côté de la tasse à café et la repassa soigneusement pour pouvoir écrire dessus. Sur un angle de la serviette une marque : Café Honduras. Il l'entoura au stylo. Le papier, poreux, absorbait un peu l'encre mais tenait bon : on pouvait essayer. La première phrase s'imposa toute seule : et si tu allais au Honduras ? Il continua, en numérotant les phrases. Deux : et si tu dansais une valse viennoise ? Trois : et si tu allais sur la Lune pour manger les beignets de Caïn ? Quatre : et si Caïn n'avait pas fait les beignets ? Cinq : et si tu partais avec le navire ? Six : et si le navire était déjà parti ? Sept : et si à mon sifflement il revenait en arrière ? Huit : et si la Betta se mariait ? Neuf : et si le chat maltais jouait du piano et chantait en français ?

Lu comme poème ça avait sa personnalité, cela aurait peut-être plu à cette dame qui lui avait demandé un texte pour une anthologie de poèmes pour enfants, mais ça n'aurait pas été honnête, ce n'était pas pour les enfants, c'était un *poème zutique.* Cependant les poèmes *zutiques* plaisent aux enfants, l'important est de dire des sottises, et si au demeurant quelqu'un le fait par mélancolie les enfants ne s'en rendent pas compte. Je lui téléphone, se dit-il, il n'y avait pas besoin d'un portable, que d'ailleurs il n'avait jamais eu : à deux pas, à côté du café, se trouvait une cabine téléphonique, et sur la table, comme une invitation, les quelques pièces de la monnaie. Ce n'allait bien sûr pas être facile de s'expliquer, il fallait bien mettre le discours en place, comme la professeure le voulait pour la dissertation en classe, parce que si quelqu'un met bien le discours en place il est sauvé, même s'il s'exprime mal. Peut-être qu'avant d'entrer dans le sujet il fallait une espèce de code, quelque chose qui indique la complicité d'autrefois, genre mot d'ordre, comme quand les sentinelles se donnent le relais dans les tranchées. Il pensa : une souris verte, qui courait dans l'herbe, je l'attrape par la queue. Sûr qu'il allait comprendre. Et puis il aurait dit : je sais bien qu'on ne peut pas réveiller quelqu'un à cette heure après qu'on n'a pas appelé depuis trois ans, mais le fait est que j'avais un peu pris le maquis. Une souris verte, qui courait dans l'herbe, je l'attrape par la queue. Il reprit : je m'étais mis en tête d'écrire un gros roman, disons-le ainsi, ce roman que tout le monde attend, tôt ou tard, l'éditeur, les critiques, parce que bien sûr, disent-ils, les nouvelles sont magnifiques, et aussi ces deux livres de divagations, et même le faux journal est un texte de premier ordre, il n'y a pas de doute, mais le roman, quand est-ce que vous allez nous écrire un vrai roman ?, ils ont tous l'obsession du roman, de sorte que moi aussi j'ai été contaminé, et pour écrire le roman que tous veulent de toi, qui sera ton chef-d'œuvre, tu comprends qu'il faut la juste atmosphère, et le bon endroit, et le bon endroit il faut aller le chercher qui sait où, parce que là où l'on est ce n'est jamais le bon endroit, et comme ça j'ai pris le maquis afin de chercher le bon endroit pour écrire le chef-d'œuvre, je me fais comprendre ? Une souris verte, qui courait dans l'herbe, je l'attrape par la queue. Ingrid est à Göteborg, elle est allée voir notre fille, je ne sais pas si tu es au courant qu'elle s'est mariée à Göteborg, elle est revenue aux racines maternelles, du reste elle est mieux là-bas qu'ici auprès d'une moribonde, mais ça je te l'expliquerai après, ou non, je te l'explique tout de suite, je suis de retour, je suis à l'hôpital de ma ville, non non, ce n'est pas moi qui suis malade, je vais très bien, évidemment que j'aimerais te voir, j'en viens au but parce que mon appel n'est rien d'autre que le SOS d'un télégraphiste qui avait éteint la radio, mais ne va pas croire que c'était la tempête autour de moi, il y avait plutôt un calme incroyable, sans même de lignes d'ombre à franchir, elles sont déjà franchies depuis un bout de temps, je dirais qu'il y avait un banc de sable dans lequel la coque s'était enlisée. Une souris verte, qui courait dans l'herbe, je l'attrape par la queue. Ma tante est en train de mourir. Soit dit en passant. La mienne, pas la tienne, nous avons chacun une mère, et notre père n'avait pas de sœur, de sorte que la tante est la mienne, mais ce n'est pas tant pour cela que je te téléphone, en réalité je voulais te lire au moins un bout du roman que j'ai écrit durant ces trois années de silence afin que tu aies une idée de l'engagement que j'y ai mis, je suis certain que tu comprendras pourquoi je n'ai plus donné signe de vie, tu es prêt ? Ça dit ceci : et si tu allais au Honduras ? Et si tu dansais une valse viennoise ? Et si tu allais sur la Lune pour manger les beignets de Caïn ? Et si Caïn n'avait pas fait les beignets ? Et si tu partais avec le navire ? Et si le navire était déjà parti ? Et si à un sifflement de ma part il revenait en arrière ? Et si la Betta se mariait ? Et si le chat maltais jouait du piano et chantait en français ? Cela m'a coûté les yeux de la tête, ça te plaît ?

*

Il se trouvait là, avec la monnaie dans la main, regardant la cabine téléphonique, entre le dire et le faire, et au milieu il y a la mer, et le faire consistait à dire : écoute, je suis de retour, je suis ici à l'hôpital, non, je vais très bien, ou mieux, je ne vais pas très bien, c'est que ces trois années se sont emboîtées comme s'il s'agissait d'un seul jour, ou mieux, une seule nuit, je sais que je m'explique mal, je vais essayer d'être plus clair, pense aux bouteilles en plastique, celles d'eau minérale, la bouteille a un sens tant qu'elle est pleine d'eau, mais quand tu l'as bue tu peux la ratatiner sur elle-même et puis tu la jettes, voilà ce qui m'est arrivé, le temps s'est pour moi ratatiné, et un peu aussi les vertèbres, si je puis le dire comme ça, je sais que je passe du coq à l'âne mais je ne sais pas m'exprimer mieux, sois patient. Et tandis qu'il pensait à ce qui lui semblait à lui une explication, il remarqua que non loin du café se trouvait un pavillon de bas gabarit dont la porte vitrée s'était ouverte comme activée de l'intérieur et d'où sortait une infirmière vêtue de blanc qui poussait une chaise roulante. Et sur la porte vitrée qui se referma derrière eux il y avait un panneau jaune avec trois pales comme un ventilateur. L'infirmière avançait lentement parce que du pavillon au café le sentier du jardin montait légèrement, et dans la chaise roulante il y avait un petit garçon, ou du moins lui sembla-t-il de loin qu'il s'agissait d'un petit garçon car il n'avait pas de cheveux, mais au fur et à mesure qu'ils s'approchaient il comprit que c'était une fillette. Les traits du visage, même s'il s'agissait de celui d'un enfant, n'étaient pas masculins, car la différence se remarque déjà bien à dix ou douze ans qui à vue d'œil était l'âge de cet enfant, c'est-à-dire de cette fillette ; et la voix aussi était déjà féminine, car à cet âge les cordes vocales sont bien différenciées, et elle parlait avec la vieille infirmière qui poussait la chaise roulante mais de là où il était il n'arrivait pas à distinguer ce qu'elles disaient, il captait seulement le son des voix. Il s'était levé avec la monnaie dans la main pour se diriger vers le téléphone, ou plutôt il s'était presque levé, parce qu'il était resté au milieu de son mouvement comme ça lui était arrivé la veille en se levant du lit, car l'habituelle lame de rasoir lui avait pénétré de nouveau dans le dos en le transperçant jusqu'au bas-ventre. Il resta ainsi, à l'image de ce personnage de Pontormo qui lui plaisait tant et qui a sur le visage la stupéfaction de la douleur comme si c'était lui qui portait la croix et non celui dont c'est la tâche. Les deux voix féminines étaient encore trop faibles pour être déchiffrées, mais elles étaient joyeuses, il le comprit au ton, on aurait dit un gazouillement, comme des moineaux qui se racontent quelque chose, il ferma les yeux et le gazouillement devint un piaillement parce qu'il pensa plutôt à deux petites souris qui se parlaient dans une cage, ces petites souris blanches sur lesquelles les scientifiques font des expériences, c'était deux cobayes pour la science de ce qu'on appelle la vie, qui de toutes est la science qui fait le plus souffrir, l'une était en train de subir précocement les expérimentations de la vie, l'autre, la plus âgée, y avait résisté, et poursuivait. Elles se turent, peut-être parce que celle qui poussait la chaise roulante ressentait de la fatigue et la fillette ne voulait pas la fatiguer, mais à peine dépassée la bosse de l'allée l'enfant se remit à parler, et elle répondait bien sûr à quelque chose que l'infirmière lui avait dit peu avant, au ton de la voix on comprenait qu'il s'agissait d'une affirmation, une affirmation solennelle que personne ne pouvait démentir. Elle avait une voix joyeuse, pleine de vie, comme quand la vie, à travers la voix, exprime désir et enthousiasme. La fillette répéta la phrase au moment précis où elles passaient à côté de lui, et en parlant elle fit un large sourire. Mais ça c'est la plus belle chose du monde ! Mais ça c'est la plus belle chose du monde !

La petite allée continuait en descente jusqu'à une clinique qui se trouvait en bas. Elles avaient cessé de parler mais il entendait le bruit des roues de la chaise sur le gravillon. Il aurait voulu se retourner mais n'y réussit pas. La chose la plus belle du monde. C'est une fillette chauve promenée dans une chaise roulante par une infirmière qui l'avait dit. Elle savait quelle était la plus belle chose du monde, alors que lui ne le savait pas. Était-ce possible qu'à son âge, avec tout ce qu'il avait vu et connu, il ne sache pas encore quelle était la plus belle chose du monde ?

NUAGES

— Tu restes là à l'ombre toute la journée, dit la fillette, tu n'aimes pas te baigner ?

L'homme fit un vague signe de tête qui pouvait être un oui et un non, mais il ne dit rien.

— Je peux te tutoyer ?, demanda la fillette.

— Si je ne me trompe tu l'as déjà fait, répondit l'homme en souriant.

— Dans ma classe on tutoie aussi les adultes, dit la fillette, certains professeurs nous y autorisent, mais mes parents me l'ont interdit, ils disent que ça fait mal élevé, vous en pensez quoi ?

— Je pense qu'ils ont raison, répondit l'homme, mais tu peux me tutoyer, je ne le dirai à personne.

— Tu n'aimes pas te baigner ?, demanda-t-elle, moi je trouve que se baigner c'est singulier.

— Singulier ?, dit l'homme.

— La professeure nous a expliqué qu'on ne peut pas utiliser super à tout bout de champ, que dans certains cas on peut dire singulier, j'étais sur le point de dire super, moi me baigner sur cette plage je trouve ça singulier.

— Ah, dit l'homme, je suis d'accord, d'après moi aussi c'est super, et même singulier.

— Se mettre au soleil aussi c'est super, continua la fillette, les premiers jours j'ai dû mettre la protection quarante, puis je suis passée à vingt, et maintenant je peux utiliser la crème à effet doré, celle qui fait scintiller la peau comme s'il y avait des paillettes d'or, vous voyez?, mais pourquoi vous êtes si blanc?, vous êtes arrivé depuis une semaine et vous êtes toujours sous le parasol, vous n'aimez pas non plus le soleil?

— Je trouve ça super, dit l'homme, je le jure, je trouve super de se mettre au soleil.

— Vous avez peur de cuire?, demanda la fillette.

— Et toi, qu'est-ce que tu en penses?, répondit l'homme.

— Je pense que vous avez peur de cuire, mais si on ne commence pas petit à petit on ne va jamais bronzer.

— C'est vrai, confirma l'homme, ça me semble logique, mais tu crois qu'il est obligatoire de bronzer?

La fillette réfléchit.

— Pas vraiment obligatoire, rien n'est obligatoire, à part les choses obligatoires, mais si quelqu'un vient à la plage, ne se baigne pas et ne bronze pas, qu'est-ce qu'il vient faire à la plage?

— Tu sais une chose?, dit l'homme, tu es une petite fille logique, tu as le don de la logique, et ça c'est super, d'après moi le monde a désormais perdu le sens de la logique, c'est un vrai plaisir de rencontrer une fillette dotée de sens logique, puis-je avoir le plaisir de faire ta connaissance, comment t'appelles-tu?

— Je m'appelle Isabella, pourtant les amis intimes m'appellent Isabèl, mais avec l'accent sur le e, non comme les Italiens qui disent Ìsabel avec l'accent sur le i.

— Pourquoi, tu n'es pas italienne?, demanda l'homme.

— Bien sûr que je suis italienne, répliqua-t-elle, parfaitement italienne, mais je tiens beaucoup au nom que les amis m'ont donné, parce qu'à la télévision ils disent toujours Mànuel et Sebàstian, moi je suis totalement italienne comme vous et peut-être plus que vous, mais j'aime les langues et je connais aussi l'hymne national par cœur, cette année le président de la République est venu visiter notre école et nous a parlé de l'importance de l'hymne national, qui est notre identité italienne, il a fallu du temps pour faire l'unité de notre pays, et moi par exemple ce monsieur de la politique qui veut abolir l'hymne national ça ne me plaît pas.

L'homme ne dit rien, il avait les paupières mi-closes, la lumière était intense et le bleu de la mer se confondait avec celui du ciel, comme s'il avait avalé la ligne d'horizon.

— Peut-être n'avez-vous pas compris de qui je veux parler, dit la fillette en rompant le silence.

L'homme resta muet, la fillette sembla hésiter, avec un doigt elle faisait des gribouillages sur le sable.

— J'espère que vous n'êtes pas de son parti, continua-t-elle comme pour se donner courage, chez moi on m'a toujours appris qu'il faut respecter les opinions d'autrui, mais à moi l'opinion de ce monsieur ne me plaît pas, vous comprenez ?

— Parfaitement, dit l'homme, il faut respecter les opinions d'autrui mais ne pas manquer de respect pour les siennes propres, surtout ne pas manquer de respect aux siennes, et pourquoi ce monsieur ne te plaît-il pas ?

— Oh bon, dit Isabella en paraissant hésiter. À part le fait que quand il parle à la télévision il y a une sorte de petite mousse blanche qui lui vient aux coins de la bouche, mais ça c'est négligeable, c'est qu'il dit plein de gros mots, je l'ai entendu de mes oreilles, et si lui en dit je ne vois pas pourquoi on me gronde quand moi j'en dis, mais heureusement le président de la République est plus important que lui, sans quoi il ne serait pas président de la République et lui il nous a expliqué que nous devons respecter l'hymne national et le chanter comme le chante l'équipe nationale aux championnats du monde, avec la main sur le cœur, nous l'avons tous chanté avec le président de la République, nous lisions sur les photocopies distribuées par la professeure mais lui il ne lisait pas, il le connaissait par cœur, moi je le trouve super, pas vous ?

— Super et singulier, confirma l'homme.

Il fouilla dans le sac qu'il avait posé à côté du transat, prit un flacon de verre et mit un comprimé blanc dans sa bouche.

— Je parle trop ?, demanda-t-elle, chez moi ils disent que je parle trop et que je risque d'embêter les gens, est-ce que je vous embête ?

— Pas du tout, dit l'homme, ce que tu racontes est même singulier, continue.

— Et puis le Président nous a fait une leçon d'histoire parce que comme vous le savez on n'étudie pas l'histoire moderne à l'école, au collège les meilleurs profs réussissent à arriver jusqu'à la Première Guerre mondiale, autrement on s'arrête à Garibaldi et à l'unité de l'Italie, nous au contraire nous avons appris plein de choses modernes parce que la professeure a été très très bonne, mais le mérite en revient au Président, parce que c'est lui qui a donné l'input.

— Qu'est-ce qu'il a donné ?, demanda l'homme.

— On dit comme ça, expliqua Isabella, c'est un mot nouveau, ça signifie quelqu'un qui commence et qui entraîne les autres, si vous voulez je peux vous répéter ce que j'ai appris, vraiment plein de choses que peu de gens connaissent, je te les dis ?

L'homme ne répondit pas, il avait les yeux fermés et était complètement immobile.

— Vous vous êtes endormi ?

Isabella avait un ton timide, comme si elle était désolée.

— Excusez-moi, je vous ai peut-être fait vous endormir à force de bavarder, c'est aussi pour ça que mes parents ne veulent pas m'acheter de téléphone portable, ils disent que ça ferait une facture astronomique avec tout ce que je parle, vous savez, chez nous on ne peut pas se permettre le superflu, mon père est architecte mais il travaille pour la mairie, et quand quelqu'un travaille pour la mairie...

— Ton père est un homme chanceux, dit l'homme sans ouvrir les yeux.

Maintenant il parlait à voix basse, comme s'il chuchotait.

— Quoi qu'il en soit, reprit-il, la profession de construire des maisons est très belle, bien mieux que la profession de les détruire.

Isabella eut un petit cri de surprise.

— Mon dieu, s'exclama-t-elle, il y a aussi la profession de détruire les maisons?, je ne le savais pas, on n'apprend pas ça à l'école.

— Enfin, dit l'homme, ce n'est pas que ce soit vraiment une profession, on peut aussi apprendre ça de manière théorique, comme à l'académie militaire, mais ensuite il arrive des moments où une certaine connaissance doit être mise en pratique, et somme toute le but est bien celui-là, détruire des maisons.

— Et vous comment le savez-vous?, demanda Isabella.

— Je le sais parce que je suis un militaire, répondit l'homme, ou mieux, je l'étais, maintenant je ne le suis plus, disons que je suis à la retraite.

— Mais alors vous détruisiez les maisons?

— Tu ne me tutoyais pas?, demanda l'homme.

Isabella ne répondit pas tout de suite.

— C'est que je suis de nature timide même si on ne le dirait pas du fait que je parle trop, je vous avais demandé si avant tu détruisais toi aussi des maisons.

— Pas personnellement, dit l'homme, et mes soldats non plus, pour être sincère, ma mission était une mission militaire de paix, c'est un peu compliqué à expliquer, surtout par une journée comme celle-ci et pourtant, Isabèl, je voudrais te dire une chose qu'on ne t'a peut-être pas dite à l'école, c'est qu'au fond du fond l'histoire se résume à ceci : il y a des hommes comme ton père qui par profession construisent des maisons et des hommes de mon métier qui détruisent les maisons, et l'affaire suit ainsi son cours depuis des siècles, certains construisent les maisons et d'autres les détruisent, construire, détruire, construire, détruire, c'est un peu ennuyeux, tu ne trouves pas ?

— Très ennuyeux, répondit Isabella, vraiment très ennuyeux, s'il n'y avait pas les idéaux, heureusement il y a les idéaux.

— En effet, confirma l'homme, heureusement que dans l'histoire il y a les idéaux, c'est le Président ou la professeure qui te l'a dit ?

Isabella sembla réfléchir.

— À présent je ne saurais pas bien dire qui l'a expliqué, dit-elle.

— Peut-être est-ce le Président qui a donné l'input, dit l'homme, et qu'est-ce que tu peux me dire des idéaux ?

— Qu'ils sont tous respectables si on y croit, répondit Isabella, par exemple en celui de la patrie, et puis il y en a un qui peut-être va se tromper parce qu'il est jeune, mais si l'idéal est de bonne foi ça va.

— Ah, dit l'homme, c'est une chose à laquelle je dois réfléchir, mais ça ne me paraît pas le jour pour le faire, aujourd'hui il fait très chaud, et la mer me semble si attirante.

— Alors tu te baignes, dit Isabella.

— Je n'en ai pas très envie, dit l'homme.

— C'est parce que tu n'es pas motivé, d'après moi c'est le stress, tu ne peux pas imaginer l'effet négatif du stress sur notre esprit, je l'ai lu dans un livre que ma mère a sur sa table de chevet, tu veux que j'aille te prendre quelque chose au bar de l'hôtel, quelque chose pour combattre le stress ?, pourvu que ce ne soit pas un Coca-Cola, ça je m'y refuse.

— Là tu vas devoir m'expliquer, tu vas vraiment devoir m'expliquer.

— Parce que le Coca-Cola et le McDonald's sont la ruine de l'humanité, dit Isabella, tout le monde le sait, dans mon école même les gardiens le savent.

L'homme fouilla dans son sac et prit un autre comprimé.

— Tu en prends beaucoup, observa Isabella.

— Je dois respecter un horaire, dit l'homme, c'est l'ordonnance médicale qui me l'impose.

— À mon avis tous ces comprimés te font du mal, affirma-t-elle avec conviction, les Italiens consomment un tas de comprimés, ils l'ont aussi dit à la télévision, alors qu'il est important de syntoniser notre esprit avec les forces positives qu'il y a dans l'Univers, voilà pourquoi il faut éviter certains aliments et certaines boissons, car ils transmettent une énergie négative, ils ne sont pas naturels, je me fais comprendre ?

— Isabèl, je peux te dire quelque chose en confidence ?

L'homme s'essuya le front avec un mouchoir. Il transpirait.

— Le Coca-Cola et le McDonald's n'ont jamais conduit personne à Auschwitz, dans ces camps d'extermination dont on t'aura parlé à l'école, tandis que les idéaux oui, tu n'y avais jamais pensé, Isabèl ?

— Mais c'était des nazis, objecta Isabella, des gens horribles.

— Parfaitement d'accord, dit l'homme, les nazis étaient des gens vraiment horribles, mais eux aussi avaient un idéal et faisaient la guerre pour l'imposer, de notre point de vue c'était un idéal pervers, mais pas du leur, ils avaient une grande foi en cet idéal, il faut faire attention aux idéaux, qu'en dis-tu, Isabèl ?

— Il faut que j'y pense, répondit la fillette, peut-être que j'y penserai à déjeuner, il est midi et demi, ils vont bientôt servir le déjeuner, tu ne viens pas ?

— Peut-être pas, dit l'homme, aujourd'hui je n'ai pas grand appétit.

— Excuse-moi si je me répète, mais selon moi tu prends trop de médicaments, tu fais comme tous les Italiens qui prennent trop de médicaments.

— Mais à la fin tu es italienne ou non ?, insista l'homme.

— Tu me l'as déjà demandé et je t'ai déjà répondu, répliqua Isabella d'un air piqué, je suis totalement italienne, peut-être encore plus que toi, en tout cas si tu ne viens pas déjeuner tu vas rater quelque chose, aujourd'hui à l'hôtel il y a le buffet et après tous les trucs croates qu'ils nous ont donnés jusqu'à présent il y a des spaghetti all'arrabbiata, en vérité sur le menu il y a marqué *spagetti all'arrabbiatta*, mais ça doit être la même chose, parfois à l'étranger il faut pardonner l'orthographe, mais excuse-moi, pourquoi prends-tu tous ces comprimés, tu n'es quand même pas un type vicieux comme ceux qui vont en discothèque ?

L'homme ne répondit pas.

— Allez, dis-le-moi, insista Isabella, je ne le dirai à personne.

— Je vais être sincère, dit l'homme, je ne suis pas un vicieux de discothèque, le médecin me les a prescrits, ce sont des comprimés légaux, ils me coupent un peu l'appétit, c'est tout.

— Ils te font aussi vomir, dit Isabella, je m'en suis rendu compte, hier tu es venu au déjeuner et à un certain moment tu t'es levé et tu as couru aux toilettes et quand tu es revenu tu étais blanc comme un mort, d'après moi tu étais allé vomir.

— Tu as mis dans le mille, dit l'homme, j'étais en effet allé vomir, c'est l'effet des comprimés.

— Alors pourquoi tu les prends ?, ne les prends pas, conclut-elle.

— Objection logique, disons que d'un côté ils me font du bien et d'un autre ils me font du mal, peut-être que les comprimés sont un peu comme les idéaux, tout dépend des personnes à qui tu les fais prendre, moi je ne les impose pas aux autres, je ne fais de mal à personne.

La fillette continuait de faire des gribouillages sur le sable.

— Je ne comprends pas, dit-elle, c'est parfois difficile de vous comprendre, les adultes.

— Nous les adultes nous sommes stupides, dit l'homme, nous sommes souvent stupides, en tout cas il arrive parfois qu'il faille vraiment prendre des comprimés, indépendamment du fait d'être italien ou non, mais toi, Isabèl, qui dis être absolument italienne, tu vas me dire où tu es née ?, sache bien que ce n'est pas fondamental, moi par exemple je suis né dans une région qui sur la carte de géographie n'existe pas, parce qu'à présent ses dirigeants politiques l'appellent d'un autre nom, pourtant je suis italien, au point que je suis, ou mieux, que j'étais un capitaine de l'armée italienne, et quand tu es un capitaine de l'armée italienne tu ne peux pas être un étranger, ça te semble logique ?

Isabella acquiesça.

— Et où es-tu né ?, demanda-t-elle.

— Dans une contrée qu'on vient d'inventer, tu connais Walt Disney ?

Les yeux d'Isabella se mirent à briller.

— Quand j'étais enfant j'ai vu tous ses films.

— Voilà, c'est un lieu comme ça, un pays de fable, tout en cristal, un cristal qui est cependant du vulgaire verre, d'un point de vue géographique ça se trouve en Italie septentrionale, de la même façon que la Toscane se trouve en Italie centrale et la Sicile en Italie méridionale, mais la géographie est désormais devenue secondaire et l'histoire aussi, mieux vaut ne pas parler de la culture, ce qui compte aujourd'hui c'est la fable, mais comme les adultes en plus d'être stupides sont aussi compliqués, je ne veux plus jouer au compliqué, venons-en aux faits, la question que je t'ai posée en premier, où es-tu née ?

— Dans un petit village du Pérou, dit Isabella, mais je suis devenue italienne très vite, à peine mes parents m'avaient adoptée, c'est pour cela que je me sens italienne comme toi.

— Isabèl, dit l'homme, sincérité pour sincérité, je l'avais bien compris que tu n'étais pas aryenne comme moi, d'ailleurs je suis blanc comme un mort, tu l'as dit toi-même, tandis que toi tu es un peu basanée, tu n'es pas de pure race aryenne.

— Qu'est-ce que ça veut dire ?, demanda la fillette.

— C'est une race inexistante, répondit l'homme, inventée par de pseudo-scientifiques, mais tu sais, si ceux qui avaient des idéaux de ce genre avaient gagné la guerre mondiale tu ne serais pas ici à présent, et même, tu ne serais peut-être pas du tout.

— Pourquoi ?, demanda Isabella.

— Parce que ceux qui n'étaient pas de race aryenne n'auraient pas eu le droit d'exister, Isabèl, et les personnes avec la peau un peu basanée comme la tienne, qui a vraiment une très belle couleur, surtout maintenant avec la crème à effet doré, ils les auraient...

— Ils les auraient ?... demanda-t-elle.

— Laissons tomber, dit l'homme, c'est une affaire compliquée, et par une journée comme celle-ci ça ne vaut pas la peine de se compliquer la vie, pourquoi ne vas-tu pas prendre un bon bain avant d'aller déjeuner?

— Je peux aussi aller me baigner plus tard, répondit Isabella, à présent l'envie m'est passée à moi aussi et puis excuse-moi, dès que je t'ai vu la semaine dernière, toujours à lire ici à l'ombre sous le parasol, j'ai pensé que tu serais capable de m'expliquer des choses que je n'avais pas comprises, je pensais que j'allais avoir avec toi une conversation intéressante comme il est difficile d'en avoir avec les adultes, et c'est au contraire encore pire qu'avant, ça fait une demi-heure qu'on parle et, en toute sincérité, tu me sembles un peu à côté, les pays inexistants, ceux qui détruisent les maisons, toi qui faisais la guerre mais qui faisais la paix, d'après moi il y a une grande confusion dans ta tête, et puis je n'ai pas compris quelle était ta soi-disant profession.

— Cela consistait à regarder ceux qui se détruisaient les maisons à tour de rôle, répondit l'homme, voilà ce qu'était la mission militaire de paix, et cela avait lieu précisément ici.

— Sur cette plage?, demanda Isabella, excuse-moi, mais ça ne me semble pas possible, sans vouloir t'offenser.

L'homme ne répondit pas. La fillette se leva, elle avait posé les mains sur ses hanches et regardait la mer, elle était maigre et sa silhouette se découpait dans la violente lumière de midi.

— À mon avis tu dis ces choses parce que tu ne manges pas, dit-elle d'une voix légèrement altérée, ne pas manger fait dire des choses étranges, tu déraisonnes, excuse-moi de te le dire, ici c'est un hôtel de premier ordre, il est très cher car j'ai vu les prix, tu ne peux pas dire ces choses parce que la fantaisie t'en prend, tu ne manges pas, tu ne vas pas au soleil, tu ne te baignes pas, d'après moi tu as un problème, peut-être as-tu besoin de te mettre quelque chose sous la dent ou de boire un bon milk-shake aux fruits, si tu veux je vais t'en chercher un.

— Si tu veux vraiment être gentille je préférerais un Coca-Cola, dit l'homme, ça me désaltère.

— J'ai envie d'être gentille, affirma Isabella, mais c'est toi qui n'es pas gentil, d'abord tu dois m'expliquer pourquoi tu es venu justement ici en vacances s'il y a eu la guerre et s'ils se détruisaient les maisons et que tu étais là à regarder, c'est bien ça ?

— C'est bien ça, sauf qu'à l'époque personne ne voulait le savoir, pas plus que maintenant, tu sais, les gens n'aiment pas savoir qu'avant dans les lieux de vacances il y a eu la guerre, parce que s'ils le savent, ça leur gâche les vacances, tu comprends la logique ?

— Et alors pourquoi tu y es venu toi aussi ?, ma question est une question logique, si tu permets.

— Disons que c'est le repos du guerrier, dit l'homme, même si le guerrier ne faisait pas la guerre il était au fond un guerrier, et le guerrier doit trouver le repos là où il y a eu auparavant la guerre, c'est classique.

Isabella sembla réfléchir. Elle s'était agenouillée dans le sable, pour moitié au soleil et pour moitié à l'ombre, et sur son maigre corps juvénile elle portait un bikini qui n'aurait pas eu besoin de la partie supérieure, ses maigres épaules se mirent à tressaillir comme si elle pleurait mais elle ne pleurait pas, elle semblait avoir pris froid, elle gardait les mains plongées dans le sable et le visage penché sur les genoux.

— Ne t'en fais pas, murmura-t-elle, quand je fais comme ça tout le monde s'en fait, c'est juste une petite crise de changement d'âge, il se trouve que j'ai des problèmes de changement d'âge, c'est le psychologue qui l'a dit, je ne sais pas si tu comprends.

— Peut-être que si tu lèves la tête je comprendrai mieux, dit l'homme, je ne t'entends pas bien.

La fillette leva la tête, elle avait les joues rouges et les yeux humides.

— Ça te plaît la guerre ?, susurra-t-elle.

— Non, dit-il, ça ne me plaît pas, et à toi ?

— Alors pourquoi tu la faisais ?, demanda Isabella.

— Je t'ai dit que je ne la faisais pas, dit-il, j'y assistais, mais moi aussi je t'ai posé une question, à toi ça te plaît ?

— Je la déteste, s'exclama Isabella, moi je la déteste, mais tu parles comme tous les adultes et tu me fais avoir la crise de l'âge évolutif, parce que l'année dernière la crise de l'âge évolutif je ne l'avais pas, puis à l'école on nous a expliqué les différents types de guerre, les justes et les injustes, et nous avons même fait trois rédactions et c'est ensuite que j'ai commencé à avoir ces crises de l'âge évolutif.

— Tu as tout ton temps pour t'expliquer, dit l'homme, raconte calmement, de toute façon les spaghetti all'arrabbiata ils les gardent au chaud sous les lampes halogènes, je ne t'ai même pas demandé dans quelle classe tu es.

— J'ai fini la première du collège, mais après la troisième j'irai au lycée, comme ça j'étudierai aussi le grec.

— Magnifique, dit l'homme, mais qu'est-ce que cela a à voir avec tes crises ?

— Peut-être rien, dit Isabella, c'est que pendant l'année on a étudié César et aussi un peu d'Hérodote, et surtout le fait de savoir si la guerre peut servir à la paix, c'était ça le sujet en histoire, vous comprenez ?

— Explique-toi mieux.

— Au sens que parfois la guerre est nécessaire, malheureusement, dit-elle, la guerre est juste si elle amène la justice dans les pays où il n'y en a pas, cependant un jour sont arrivés deux enfants de ce pays où l'on est en train d'apporter la justice et ils ont été conduits à l'hôpital de notre ville, et c'est ma classe qui leur a apporté des desserts et des fruits, c'est-à-dire moi et Simone et Samantha, les meilleurs, vous comprenez ?

— Continue, dit l'homme.

— Mohamed a plus ou moins mon âge, et sa sœur est plus petite, à vrai dire je ne me rappelle pas son nom, mais quand nous sommes entrés dans la petite chambre de l'hôpital et que Mohamed n'avait plus de bras et que sa sœur...

Isabella s'interrompit.

— Le visage de sa petite sœur..., murmura-t-elle, j'ai peur que si je t'en parle il ne me vienne une crise de l'âge évolutif, seule la grand-mère leur tenait compagnie car leur père et leur mère sont morts sous la bombe qui a détruit leur maison, c'est ainsi que le plateau avec les kiwis et le tiramisu m'est tombé des mains, je me suis mise à pleurer et puis j'ai eu mes crises de l'âge évolutif.

L'homme ne dit rien.

— Pourquoi tu ne dis rien ?, on dirait le psychologue qui est là à m'écouter et qui ne dit jamais rien, dis-moi quelque chose.

— D'après moi il ne faut pas trop t'en faire, dit l'homme, des crises de l'âge évolutif on en a tous, chacun à sa façon.

— Toi aussi ?

— Je peux te l'assurer, dit-il, quoi qu'en disent les médecins je crois me trouver en pleine crise de l'âge évolutif.

Isabella le regarda. Elle s'était finalement assise les jambes croisées, elle semblait plus détendue et ne cachait plus ses mains sous le sable.

— Tu plaisantes, dit-elle.

— Je ne plaisante pas du tout, dit-il.

— Mais quel âge as-tu ?

— J'ai quarante-cinq ans, répondit l'homme.

— Comme mon père, dit-elle, c'est tard pour avoir des crises de l'âge évolutif.

— Absolument pas, objecta l'homme, l'âge évolutif

ne finit jamais, dans la vie nous ne faisons rien d'autre qu'évolutionner.

— Évolutionner n'existe pas comme verbe, dit Isabella, on dit évoluer.

— Félicitations, mais en biologie ça existe, et de fait chacun en évoluant a sa crise, tes parents aussi en ont une.

— Et toi comment tu le sais ?

— Hier j'ai entendu ta mère qui parlait à ton père avec son portable, dit l'homme, il était facile de comprendre qu'ils sont en pleine crise de l'âge évolutif.

— Tu es un espion !, s'exclama Isabella, on n'écoute pas les conversations des autres.

— Excuse-moi, dit l'homme, ton parasol est à trois mètres du mien et ta mère parlait comme si elle avait été à la maison, tu aurais voulu que je me bouche les oreilles ?

Les épaules d'Isabella furent de nouveau secouées par un frisson.

— C'est qu'ils ne sont plus ensemble, dit-elle, aussi j'ai été confiée à ma mère, et Francesco à papa, un pour chacun c'est la justice, a dit le juge, Francesco est né quand ils ne s'y attendaient plus, mais moi je l'aime comme je n'aime personne d'autre et la nuit je me mets à pleurer, mais maman aussi pleure la nuit, je l'ai entendue, et tu sais pourquoi ?, parce qu'entre elle et papa il y a des mésententes existentielles, c'est comme ça qu'ils ont dit, tu y comprends quelque chose ?

— Bien sûr, dit l'homme, c'est une chose normale,

les mésententes existentielles ça arrive à tout le monde, ne t'en fais pas.

Isabella avait de nouveau les mains dans le sable, mais elle avait pris un air presque désinvolte, elle eut un petit rire bref.

— Tu es malin, tu ne m'as pas encore dit pourquoi tu passes tes journées sous le parasol, tu sais tout de moi et tu ne parles pas de toi, mais pourquoi es-tu venu à la plage si c'est pour passer tes journées couché à prendre des comprimés, qu'est-ce que tu fais ?

— Eh bien, pour le dire en quelques mots j'attends les effets de l'uranium appauvri, et pour les attendre il faut être patient.

— C'est-à-dire ?, demanda Isabella.

— C'est long à expliquer, dit-il, les effets sont les effets et pour comprendre les résultats il n'y a rien d'autre à faire que les attendre.

— Tu vas devoir les attendre longtemps ?, demanda la fillette.

— Plus très longtemps, je pense, un petit mois, peut-être même moins.

— Et pendant ce temps tu fais quoi, toute la journée ici sous le parasol, tu ne t'ennuies pas ?

— Pas du tout, dit l'homme, j'exerce l'art de la néphélomancie.

La fillette écarquilla les yeux, fit une grimace puis sourit. C'était la première fois qu'elle souriait vraiment, révélant de petites dents blanches sur lesquelles courait un fil de métal.

— C'est une nouvelle invention ?, demanda-t-elle.

— Oh non, dit-il, c'est une chose très ancienne, imagine-toi que Strabon en parle, parce que ça concerne la géographie, mais Strabon tu l'étudieras seulement au lycée, au collège on étudie au mieux un peu d'Hérodote comme tu l'as fait cette année avec ta professeure de géographie, la géographie est une chose très ancienne, chère Isabèl, elle existe depuis toujours.

Isabella le regarda avec un air dubitatif.

— Et en quoi ça consiste, cette chose-là, comment ça s'appelle ?

— Néphélomancie, répondit l'homme, c'est un mot grec, nephelê veut dire nuage, et mancie signifie deviner, la néphélomancie est l'art de deviner le futur en observant les nuages, ou mieux, la forme des nuages, parce que dans cet art la forme est la substance, et c'est pour cela que je suis venu en vacances sur cette plage, parce qu'un ami très cher de l'aviation militaire qui s'occupe de météorologie m'a assuré qu'en Méditerranée il n'y a aucune autre côte où les nuages se forment à l'horizon en un instant. Et de la même façon qu'ils se sont formés ils se dissolvent, et c'est à cet instant précis qu'un vrai néphélomancien doit exercer son art, pour comprendre ce que prédit la forme de tel ou tel nuage avant que le vent ne le dissolve, avant qu'il ne se transforme en air transparent et ne devienne ciel.

Isabella s'était levée, elle secouait mécaniquement ses maigres jambes pour en faire tomber le sable. Elle arrangea ses cheveux et jeta à l'homme un regard sceptique, mais ses yeux étaient aussi pleins de curiosité.

— Je te donne un exemple, dit l'homme, assieds-toi sur le transat à côté du mien, pour étudier les nuages à l'horizon avant qu'ils ne s'évanouissent il faut être assis et bien se concentrer.

Il pointa son doigt vers la mer.

— Tu le vois ce petit nuage blanc, là-bas ?, suis mon doigt, plus à droite, à côté du promontoire.

— Je le vois, dit Isabella.

C'était un petit flocon qui roulait dans l'air, très loin, dans le ciel d'émail.

— Observe-le bien, et réfléchis, pour la néphélomancie il faut une intuition rapide mais la réflexion est indispensable, ne le perds pas de vue.

Isabella mit la main sur son front, en visière. L'homme alluma une cigarette.

— Fumer est mauvais pour la santé, dit Isabella.

— Ne t'occupe pas de ce que je fais, et pense aux nuages, il y a plein de choses qui ne font pas de bien à la santé dans ce monde.

— Il s'est ouvert sur les côtés, s'exclama Isabella, comme s'il avait mis des ailes.

— Papillon, dit l'homme avec compétence, et le papillon n'a qu'une seule signification, il n'y a pas de doute.

— C'est-à-dire ?, demanda Isabella.

— Les personnes qui ont des mésententes existentielles cesseront de les avoir, les personnes qui sont séparées seront réunies et leur vie sera gracieuse comme le vol d'un papillon, Strabon, page vingt-six du Livre Principal.

— C'est quoi ce livre ?, demanda Isabella.

— Le Livre Principal de Strabon, il n'a malheureusement jamais été traduit dans les langues modernes, on l'étudie en dernière année d'université parce qu'on ne peut le lire qu'en grec ancien.

— Et pourquoi il n'a jamais été traduit ?

— Parce que les langues modernes sont trop pressées, répondit l'homme, dans l'impatience de communiquer elles deviennent synthétiques et ce faisant elles perdent l'analyse, par exemple le grec antique dans la déclinaison des verbes possède le duel, alors que nous n'avons que le pluriel, et quand nous disons nous, en ce cas toi et moi, nous pouvons signifier aussi beaucoup de personnes, mais les Grecs de l'Antiquité, qui étaient très précis, si cette chose nous la faisions seulement toi et moi, qui sommes deux, ils utilisaient le duel. Par exemple la néphélomancie de ce nuage nous la faisons seulement toi et moi, nous sommes seuls à la connaître, c'est pour cela qu'ils avaient le duel.

— Super, dit Isabella, et elle émit un petit cri en mettant la main devant sa bouche, regarde de l'autre côté, de l'autre côté !

— C'est un cirrus, un très beau cirrus enfant qui bientôt sera englouti par le ciel, la plupart des gens pourraient le confondre avec un nimbus, mais un cirrus est un cirrus, désolé pour eux, et la forme d'un cirrus ne peut avoir d'autre signification que la sienne, que d'autres nuages n'ont pas.

— C'est-à-dire ?, demanda Isabella.

— Cela dépend de la forme, dit l'homme, tu dois l'interpréter, c'est là que j'ai besoin de toi, sans quoi nous ne serions pas des néphélomanciens.

— Il me semble qu'il est en train de se séparer en deux, regarde, il s'est vraiment séparé en deux, on dirait deux petits moutons qui trottent l'un à côté de l'autre.

— Deux agneaux cirrus, là non plus il n'y a pas de doute.

— Je ne comprends vraiment pas.

— Facile, dit l'homme, le doux agneau tout seul représente l'évolution de l'humanité, Strabon, page trente et un du Livre Principal, mais regarde bien, quand il se divise ce sont deux guerres qui avancent en parallèle, l'une est juste et l'autre est injuste, il est impossible de les distinguer, ce qui d'ailleurs nous intéresse peu, l'important est de comprendre quelle fin elles auront l'une et l'autre, quel avenir les attend.

Isabella le regarda avec l'air de quelqu'un qui attend une réponse urgente.

— Un avenir misérable, je peux te l'assurer, chère Isabèl.

— Tu es vraiment sûr ?, demanda la fillette d'une voix anxieuse.

— C'est à toi de me le dire, chuchota l'homme, à présent je ferme les yeux, et tu dois toi interpréter les nuages, regarde-les et attends patiemment, mais essaie de saisir l'instant, sans quoi il ne sera plus temps.

L'homme ferma les yeux, étendit les jambes, posa un chapeau sur son visage et demeura immobile, comme s'il s'était endormi. Peut-être s'écoula-t-il une minute, même plus. Sur la plage il y avait un grand silence, les baigneurs avaient rejoint le restaurant.

— Ils sont en train de se transformer en une sorte de stracciatella, dit Isabella à voix basse, comme quand la traîne des avions s'effiloche, à présent on ne les voit presque plus, comme c'est étrange, je ne réussis presque plus à les voir, regarde toi aussi.

L'homme ne bougea pas.

— Pas besoin, dit-il, Strabon, page vingt-quatre du Livre Principal, il ne se trompait pas, la prophétie de la fin de toute guerre il la fit il y a deux mille ans, sauf que personne jusqu'ici ne l'avait bien lue, et nous aujourd'hui nous l'avons finalement déchiffrée sur cette plage, nous deux.

— Tu sais que tu es un type vraiment super?, dit Isabella.

— J'en suis parfaitement conscient, répondit l'homme.

— Je pense qu'il est l'heure d'aller au restaurant, continua-t-elle, ma maman est peut-être déjà assise à table et elle s'inquiète, on pourra continuer de parler dans l'après-midi ?

— Je ne sais pas, la néphélomancie est un art qui fatigue beaucoup, peut-être que je devrai dormir cet après-midi, sans quoi je ne pourrai même pas venir dîner.

— C'est pour ça que tu dois prendre autant de

médicaments ?, demanda Isabella, à cause de la néphélomancie ?

L'homme retira le chapeau de son visage et la regarda.

— Toi qu'est-ce que tu en dis ?, demanda-t-il.

Isabella s'était levée, elle sortit du cercle d'ombre et son corps brillait à la lumière du soleil.

— Je te le dirai demain, répondit-elle.

LES MORTS À TABLE

C'était un temps déraisonnable,
On avait mis les morts à table,
On faisait des châteaux de sable,
On prenait les loups pour des chiens.

LOUIS ARAGON

En premier lieu il lui aurait dit que sa nouvelle maison lui plaisait avant tout pour la vue qu'elle offrait sur l'avenue Unter den Linden, parce que ça lui donnait l'impression d'être encore chez lui. En somme, c'était une maison où il se sentait familier, comme à l'époque où sa vie avait un sens. Et que ça lui plaisait d'avoir choisi la Karl-Liebknecht-Strasse, un nom qui lui aussi avait un sens. Ou qui en avait eu un. L'avait-il eu ? Bien sûr qu'il l'avait eu, surtout durant la Grande Structure.

Le tram s'arrêta et ouvrit ses portes. Les gens entrèrent. Il attendit que les portes se referment. Allez-y, Allez-y, moi je préfère aller à pied, une bonne promenade, il fait trop beau pour rater l'occasion. Le feu était au rouge. Il se regarda dans la vitre de la porte fermée, malgré la bande de caoutchouc qui le divisait en deux. Divisé en deux c'est très bien, mon cher, toujours divisé en deux, moitié ici, moitié là, c'est la vie, ainsi va la vie. Et en effet il n'était pas mal du tout : un bel homme d'un certain âge, cheveux blancs, veste élégante, des mocassins italiens achetés dans un magasin du centre, avec l'air bien mis d'une personne bien mise : les avantages du capitalisme. Il chantonna : *tout est affaire de décor, changer de lit changer de corps.* Celui-là s'y connaissait à coup sûr, il avait passé sa vie à faire ça. Le tram démarra. Il le salua de la main, comme s'il y avait eu à l'intérieur quelqu'un à qui il disait adieu. Qui était cette personne qui s'en allait en tram au Pergamon ? Il se donna une petite gifle affectueuse. Eh bien, c'est toi, mon cher, précisément toi, *et à quoi bon, puisque c'est encore moi qui moi-même me trahis.* Il chantonna la fin de la strophe d'une voix profonde et légèrement dramatique comme le faisait Léo Ferré. Le garçon à mobylette de Pizza Hut qui attendait que le feu passe au vert le regarda stupéfait : un vieux monsieur élégant qui chante comme un pinson à un arrêt de tram, c'était comique, non ? En avant, jeune homme, le feu est au vert, fit-il de la main en l'invitant à démarrer, porte ta pauvre pizza à destination. Allez, allez, il n'y a rien à voir, je suis simplement un vieux monsieur qui chantonne les poèmes d'Aragon, fidèle compagnon du bon temps d'autrefois, lui aussi s'en est déjà allé, nous nous en allons tous, tôt ou tard, et son Elsa aussi a les yeux opaques, adieu chers yeux d'Elsa. Il regarda le tram qui tournait vers la Friedrichstrasse et fit un signe aux yeux d'Elsa. Le chauffeur de taxi le fixa, interdit. Alors, dit-il, vous vous décidez à monter ? Il s'excusa : écoutez, c'est un malentendu, je saluais quelqu'un, ce n'est pas à vous que je faisais signe. Le chauffeur de taxi secoua la tête avec désapprobation. Ce devait être un Turc. Cette ville est pleine de Turcs, de Turcs et de Tziganes, ils ont tous fini ici, ces vagabonds, à faire quoi ? à mendier, oui, à mendier, pauvre Allemagne. Ah, l'immigré se mettait à protester, quel culot. Je vous ai dit que vous vous étiez trompé, répliqua-t-il d'une voix en train de s'altérer, c'est vous qui avez mal compris, je saluais quelqu'un. Je vous ai demandé seulement si vous avez besoin d'aide, expliqua l'homme dans un mauvais allemand, excusez-moi, monsieur, vous avez besoin d'aide ? Besoin d'aide ? non merci, répondit-il sèchement, je vais très bien, jeune homme. Le taxi partit. Tu vas bien ?, se demanda-t-il. Bien sûr qu'il allait bien, c'était une magnifique journée estivale, comme il y en a rarement à Berlin, peut-être un peu trop chaude. Voilà, peut-être un peu trop chaude à son goût, et avec la chaleur la tension a tendance à monter. Pas de nourriture salée et pas d'efforts, avait ordonné le médecin, votre tension atteint un niveau à surveiller, mais probablement est-ce dû à des causes anxiogènes, y a-t-il quelque chose qui vous préoccupe, vous réussissez à vous reposer, vous dormez bien, vous avez des insomnies ? Quelles questions. Bien sûr qu'il dormait bien, comment pourrait mal dormir un vieux monsieur tranquille, avec un bon compte en banque, une jolie maison dans le centre, une petite propriété de vacances sur le Wannsee, un fils avocat à Hambourg et une fille mariée au propriétaire d'une chaîne de supermarchés ? rendez-vous compte, docteur. Mais le médecin insistait, mauvais rêves, difficultés à s'endormir, brusques réveils, sursauts ? Oui, parfois, docteur, mais la vie est longue, vous savez, à un certain âge on repense aux personnes qui ne sont plus là, on regarde en arrière, vers le filet qui nous a tous enveloppés, le filet troué de ceux qui pêchaient, car aujourd'hui ils sont tous pêchés, vous me comprenez ? Je ne comprends pas, disait le médecin, en fin de compte, vous dormez ou vous ne dormez pas ? Docteur, aurait-il voulu dire à ce brave homme, mais que veut-on encore de moi ?, j'ai tiré toutes les cartes, j'ai vomi tout le kirsch possible, j'ai entassé tous les livres dans le poêle, docteur, et vous espérez que je puisse encore avoir le sommeil tranquille ? Mais il répondit au contraire : je dors bien quand je dors, et quand je ne dors pas j'essaie de dormir. Si vous n'étiez pas à la retraite je diagnostiquerais une forme de stress, déclara le médecin, mais franchement ce n'est pas possible, votre tension haute est donc due à l'anxiété, vous êtes une personne anxieuse malgré votre apparente tranquillité, deux de ces pilules avant de dormir, pas de nourriture salée, et il vous faut arrêter de fumer.

Il alluma une cigarette, une belle américaine bien douce. Quand il travaillait dans la Grande Structure, il y avait des gens qui auraient dénoncé leurs parents pour un paquet de cigarettes américaines, et à présent les Américains, après avoir conquis le monde, décidaient que fumer était malsain. Connard de médecin vendu aux Américains. Il traversa l'avenue Unter den Linden, à la hauteur de l'université Humboldt, et il s'assit sous les parasols carrés d'un kiosque qui vendait des Würstel. Dans la file d'attente devant le kiosque, un plateau à la main, il y avait une famille d'Espagnols, la mère, le père et deux adolescents. Les touristes étaient partout, désormais. Ils hésitaient sur la façon dont on prononçait le nom du plat. Kartoffeln, affirmait la dame. Non, non, objectait le mari, comme elles étaient frites, il fallait demander des pommes à la française. Bravo, mon petit Espagnol à moustache. En passant à côté de lui, il se mit à siffloter *Los Cuatro Generales.* La dame se retourna et le regarda d'un air presque alarmé. Il fit mine de rien. Étaient-ce des nostalgiques, ou votaient-ils socialiste ? Va savoir. *Ay Carmela, Ay Carmela.*

Un vent frais se leva tout à coup, qui emporta les serviettes en papier et les paquets de cigarettes vides qui jonchaient le sol. Cela arrive souvent à Berlin : une journée caniculaire et brusquement survient un vent froid qui fait voltiger les choses et change l'humeur. C'est comme s'il portait avec lui des souvenirs, des nostalgies, des phrases perdues, du genre de celle-ci, qui lui vint en tête : l'inclémence du temps et la fidélité à mes principes. Il ressentit un mouvement de colère. Mais quelle fidélité, dit-il à voix haute, mais de quelle fidélité parles-tu, toi qui toute ta vie as été le plus infidèle des hommes que je connaisse, je sais tout de toi, les principes, bien sûr, mais lesquels ? De ceux du Parti tu n'as jamais rien voulu savoir, ta femme tu l'as comblée de trahisons, alors sur quels principes délires-tu, crétin ? Une gamine s'arrêta devant lui. Elle avait une jupe qui tombait presque jusqu'à terre, et les pieds nus. Elle lui brandit sous les yeux un carton où il était écrit : je viens de Bosnie. Va te faire voir là-bas, lui dit-il en souriant. La fillette sourit elle aussi et s'en alla.

Peut-être valait-il mieux prendre un taxi, il se sentait fatigué à présent. Qui sait pourquoi il se sentait si fatigué, il avait passé la matinée à ne rien faire, en flânant et en lisant le journal. Les journaux fatiguent, se dit-il, les nouvelles fatiguent, le monde fatigue. Le monde fatigue parce qu'il est fatigué. Il se dirigea vers une poubelle en métal et y jeta un paquet de cigarettes vide, puis le journal du matin, il n'avait pas envie de le garder dans sa poche. Il était un brave citoyen, lui, et il ne voulait pas salir la ville. Mais la ville était déjà sale. Tout était sale. Il se dit : non, je vais aller à pied, je maîtriserai mieux la situation. La situation, mais quelle situation ?, eh bien la situation qu'il s'était habitué à maîtriser en d'autres temps. À l'époque, oui, tout cela faisait pleinement sens : ton Objectif marchait devant toi, ignare, tranquille, il s'en allait pour son propre compte. Et toi aussi, apparemment, tu t'en allais pour ton propre compte, mais en rien ignare, tout au contraire. De ton Objectif tu connaissais parfaitement les traits, à partir des photos qu'on t'avait fait étudier, tu aurais même pu le reconnaître parmi la foule d'un théâtre. Lui, à l'inverse de toi, ne savait rien, tu étais à ses yeux un visage anonyme comme il y en a des millions à travers le monde. Il marchait dans les rues, et en marchant dans les rues il te conduisait, car tu devais le suivre. Il représentait la boussole de ton parcours, il suffisait de le suivre.

Il se choisit un Objectif. Quand il sortait de chez lui il avait toujours besoin de se trouver un Objectif, sans quoi il se sentait perdu et privé d'orientation. Car l'Objectif savait où aller, au contraire de lui, où pouvait-il aller, à présent que le travail de toujours était fini et que Renate était morte ? Ah, le mur, quelle nostalgie du mur. Il était là, solide, concret, il indiquait une frontière, marquait la vie, donnait la sécurité d'une appartenance. Grâce à un mur on appartient à quelque chose, on se trouve en deçà ou au-delà, le mur est comme un point cardinal. D'un côté c'est le nord, de l'autre c'est le sud, tu sais où tu te trouves. Quand Renate vivait encore, même s'il n'y avait plus le mur, il savait au moins où aller, car toutes les tâches domestiques lui incombaient à lui, il ne se fiait pas à la dame qui venait à horaire fixe, c'était une petite Indienne au regard oblique qui parlait un très mauvais allemand et qui répétait sans cesse yes Sir, même quand il l'envoyait se faire voir. Va te faire voir, petite moricaude stupide : yes Sir.

Avant tout il allait au supermarché. Chaque jour, parce qu'il n'aimait pas faire de grandes courses, seulement de petits achats quotidiens, en fonction des désirs de Renate. De quoi aurais-tu envie, ce matin, Renate, est-ce que par exemple les fameux petits chocolats belges fourrés à la liqueur te plairaient, ou préfères-tu des pralinés aux noisettes ? Ou alors écoute, je vais au rayon fruits et légumes, tu ne peux pas imaginer tout ce qu'il y a dans ce supermarché, tu sais, ça n'a rien à voir avec les magasins alimentaires de notre époque, ici on trouve tout, vraiment tout, est-ce que par exemple de belles pêches juteuses te plairaient en cette grise journée de décembre ?, je vais t'en rapporter, elles viennent du Chili, ou d'Argentine, par là-bas, à moins que tu ne préfères des poires, des cerises, des abricots ?, je vais t'en amener. Veux-tu du melon jaune et très doux, celui qui se marie si bien avec le porto ou avec le jambon italien ? Je vais aussi t'en rapporter, aujourd'hui je voudrais te rendre heureuse, Renate, je voudrais que tu souries.

Renate lui souriait d'un sourire forcé. Il se retournait pour l'observer depuis le petit chemin du jardin tandis qu'elle lui faisait un signe de la main derrière la verrière de la terrasse. Le bord de la terrasse masquait les roues de la chaise roulante. Renate semblait assise dans un fauteuil, elle avait l'air d'une personne normale, elle était encore belle, avec un visage lisse et des cheveux blonds, malgré l'âge. Renate, ma Renate, je t'ai tant aimée, sais-tu ?, tu ne peux pas imaginer à quel point, plus encore que ma propre vie, et je t'aime toujours, pour de vrai. Même si j'aurais quelque chose à te dire, mais quel sens cela aurait-il à présent de te le dire ?, je dois m'occuper de toi, te laver, te soigner comme si tu étais une enfant, pauvre Renate, le destin a été cruel, tu étais encore belle, et puis tu n'es pas si vieille, nous ne serions pas si vieux, nous pourrions encore jouir de la vie, que sais-je, voyager, Renate, au lieu de quoi tu es réduite à cet état, quelle misère la vie, Renate. Il parcourait le chemin d'accès de la maison et arrivait sous les arbres de la grande avenue. La vie est une chose déphasée, pensa-t-il, tout est en décalage horaire. Et il se rendait au supermarché, il allait y passer une belle matinée, c'était une bonne façon de passer le temps, mais à présent, depuis que Renate avait disparu, il lui était difficile de passer le temps.

Il regarda autour de lui. Un autre tram s'arrêta de l'autre côté de la rue. En descendirent une femme d'âge mûr avec un sac à provisions, un garçon et une fille qui se donnaient la main, un vieux monsieur vêtu de bleu. Ils lui parurent des Objectifs ridicules. Du calme, du calme, ne joue pas au gamin, as-tu peut-être oublié ton métier ?, il faut de la patience, tu ne te souviens plus ?, tellement de patience, des journées de patience, des mois de patience, avec attention, discrétion, des heures et des heures assis dans un café, dans une voiture, derrière un journal, toujours à lire le même journal, des journées entières.

Pourquoi ne pas attendre un bon Objectif en lisant le journal, comme ça, pour savoir comment va le monde ? Il acheta *Die Zeit* chez le marchand de journaux voisin, ça avait toujours été son hebdomadaire, aux jours des Objectifs vrais. Puis il s'assit à la terrasse du kiosque des Würstel, sous les tilleuls. Ce n'était pas encore l'heure du déjeuner, mais l'idée d'une belle Würstel avec des pommes de terre lui allait bien. Vous la préférez normale ou au curry ?, demanda le petit homme à tablier blanc. Il se décida pour celle au curry, nouveauté absolue, et fit ajouter du ketchup, c'était vraiment post-moderne, selon le mot qui s'employait partout. Il la laissa presque entière dans l'assiette en carton, une véritable cochonnerie, qui sait pourquoi c'était à la mode.

Il leva la tête. Les gens lui parurent moches. Gros. Même les maigres lui parurent gros, gros de l'intérieur, comme s'il voyait leur intérieur. Ils étaient huileux, voilà, huileux, comme s'ils étaient couverts de crème solaire. Il lui sembla même qu'ils scintillaient. Il ouvrit *Die Zeit*, voyons comment va le monde, ce vaste monde qui danse avec allégresse. Mais pas tant que ça. Un bouclier de missiles avec des armes nucléaires, prétendait l'Américain. Contre qui ?, ricana-t-il, contre qui ?, contre nous qui sommes tous morts ? Il y avait des photographies de l'Américain sur un podium, à côté d'un drapeau. Son esprit ne devait pas être plus grand qu'un dé à coudre, comme disait une chanson française. Il repensa à cette chanson qui lui plaisait tant, Brassens était vraiment un type bien, il haïssait la bourgeoisie. Années lointaines. Paris avait été la plus belle mission de sa vie. *Une jolie fleur dans une peau de vache, une jolie vache déguisée en fleur.* Son français était encore parfait, sans accent, sans inflexions, neutre comme certaines voix qui parlent dans les haut-parleurs des aéroports, c'est ainsi qu'il l'avait appris, à l'école spéciale, au temps où l'on faisait de vraies études, ce n'était pas des histoires, sur cent on en sélectionnait cinq, et ces cinq devaient être parfaits. Comme il l'avait été.

Il y avait une queue devant les guichets du Staatsoper, il devait y avoir un concert important ce soir-là. Et s'il y allait ? Pourquoi pas, tant qu'à faire... Un monsieur descendait les escaliers de la Bibliothèque, chauve, élégant, un dossier sous le bras. Le voilà, c'était l'Objectif idéal. Il fit semblant d'être plongé dans la lecture du journal. L'homme passa devant lui sans lui prêter attention. Pour un pigeon, c'était un parfait pigeon. Il le laissa parcourir une centaine de mètres puis se leva. Il traversa la rue. Il vaut toujours mieux être sur l'autre trottoir, c'était une vieille règle, ne jamais négliger les vieilles règles. L'homme prit la direction du Scheunenviertel. Quel Objectif plaisant, il suivait justement son parcours habituel, on ne pouvait pas être plus gentil que ça. L'homme semblait se diriger vers le Pergamon. Et en effet il y entra. Ah ! le petit malin, comme s'il ne l'avait pas compris. Il ricana pour lui-même : excuse-moi, mon cher pigeon, si tu es ici en mission sous les allures d'un professeur universitaire, il est logique que tu entres au Pergamon, penses-tu une seule seconde qu'un type de mon expérience va se faire avoir avec ce genre de truc à quatre sous ?

Il s'assit sur le socle d'une des statues et l'attendit avec calme. Il alluma une cigarette. Désormais le médecin ne lui permettait que quatre cigarettes par jour, deux après le déjeuner et deux après le dîner. Mais cet Objectif méritait une cigarette. En attendant il jeta un coup d'œil au journal, à la page culture. Un film américain suscitait l'enthousiasme du public et connaissait un record d'entrées. C'était un film d'espionnage situé dans le Berlin des années soixante. Il éprouva une grande nostalgie. L'envie lui vint de s'en aller là où il avait décidé d'aller et de ne plus perdre de temps avec ce stupide petit professeur dont il était en train de s'occuper. Il était trop banal, trop prévisible. De fait, il le vit sortir avec un sac de plastique transparent, plein de catalogues qui devaient peser une tonne.

Il jeta son mégot dans le canal et mit les mains dans ses poches, comme s'il flânait. Ça oui, ça lui plaisait : faire semblant de se promener. Mais il ne se promenait pas, il avait une visite à faire, il se l'était promis la nuit d'avant, une nuit un peu agitée, essentiellement insomniaque. Il avait des choses à lui dire, à ce type. Tout d'abord il allait lui dire qu'il s'était recasé. À la différence de tant de ses collègues, y compris ceux de son niveau, qui avaient fini en chauffeurs de taxi, comme ça, brutalement licenciés, lui non, il s'était bien recasé, il avait été prévoyant, il faut toujours être prévoyant, et il l'avait été, il avait mis un beau magot de côté, comment?, c'était ses affaires, mais il avait réussi à mettre un beau magot de côté, en dollars, et en Suisse qui plus est, et quand tout était parti en quenouille, il avait acheté une belle petite maison indépendante sur la Karl-Liebknecht-Strasse, un nom qui avait un sens, à deux pas de l'avenue Unter den Linden, parce que ça lui donnait le sentiment d'être chez lui. Bref, c'était une maison qui lui donnait le sentiment d'être chez lui, comme à l'époque où sa vie avait un sens. Mais en avait-elle jamais eu un ? Bien sûr qu'elle en avait eu.

La Chausseestrasse lui parut déserte. De rares voitures passaient. C'était dimanche, un beau dimanche de fin juin, les Berlinois étaient au Wannsee, exposés au premier soleil dans les établissements balnéaires Martin Wagner, à boire l'apéritif en attendant un bon déjeuner. Il constata qu'il avait faim. Oui, s'il y pensait bien, il avait faim, le matin il n'avait pris qu'un cappuccino à l'italienne, peut-être parce qu'il avait exagéré la veille au soir. Il avait mangé un plat d'huîtres au Paris Bar, désormais il allait au Paris Bar presque tous les soirs, quand il ne variait pas avec d'autres restaurants chics. Tu as compris, grosse tête ?, murmura-t-il, tu as joué au franciscain toute ta vie, et moi au contraire je me la coule douce dans les restaurants chics, je mange des huîtres tous les soirs, et tu sais pourquoi ?, parce que nous ne sommes pas éternels, mon cher, alors autant manger des huîtres. Il aimait bien la cour intérieure. C'était sobre, rocailleux, ça lui ressemblait, comme il avait été lui-même, avec des tables sous les arbres où un couple de touristes étrangers était en train de boire une bière. L'homme avait la cinquantaine, de petites lunettes d'intellectuel comme sa chère grosse tête, rondes, en métal, ses tempes étaient dégarnies, il avait une calvitie. La femme était brune, belle, avec un visage résolu et franc, de grands yeux sombres, elle était plus jeune que lui. Ils parlaient italien, avec quelques phrases dans une langue inconnue. Il tendit l'oreille. Espagnol? Ça lui parut de l'espagnol, mais il ne parvenait pas à comprendre. Il passa devant eux sous un prétexte quelconque et dit : buongiorno, benvenuti a Berlino. Grazie, répondit l'homme. Italiens? demanda-t-il. La femme lui sourit : portugaise, répondit-elle. L'homme écarta les bras d'un air amusé. En changeant de pays plus souvent que de chaussures, un peu portugais moi aussi, dit-il en italien, et il comprit tout de suite la citation. Bien, très bien, mon cher petit intellectuel, on voit que tu as beaucoup lu, félicitations.

Il choisit de déjeuner à l'intérieur. Il fallait descendre dans une cave. Peut-être était-ce bel et bien une cave à l'origine. Mais bien sûr que c'était une cave, à présent il s'en souvenait, la grosse tête y recevait souvent une petite actrice ratée, une connasse plus vieille qu'Helene et qui avait ensuite tout révélé dans un livre paru en France intitulé... il ne se rappelait plus le titre, pourtant il avait suivi toute l'affaire, dans ses années parisiennes, ah oui, ça devait s'appeler *Les convenances* et c'était supposé parler de théâtre, mais il s'agissait en réalité d'une philosophie de la vie : le racontar. En quelle année était-ce? Il ne s'en souvenait pas. La grosse tête avait installé un divan et un abat-jour dans cette cave, tout cela sous les yeux d'Helene, qui dans sa vie avait avalé plus de couleuvres que de bouffées d'air.

Le restaurant était plutôt sombre, mais avec une atmosphère de cabaret, du genre Marie Farrar et autres choses d'un expressionnisme tardif. Les tables étaient en bois massif, les couverts étaient typiques, les murs pleins de photographies. Il se mit à les regarder. Il les connaissait presque toutes, elles lui étaient passées si souvent sous les yeux dans les dossiers de son bureau. Certaines avaient même été prises par ses assistants. Putassier, se dit-il pour lui-même, c'était un vrai putassier, un moraliste sans morale. Il consulta le menu. Bon : la dame n'avait pas su s'imposer face aux amantes, mais elle avait au moins réussi à imposer ses préférences en cuisine. Toute sa vie elle avait pratiqué une cuisine autrichienne, et le restaurant demeurait fidèle à ses goûts. Mieux valait renoncer aux hors-d'œuvre. Rubrique soupes. Il se mit à réfléchir. Il y en avait une aux pommes de terre qui lui plaisait même davantage que l'allemande. Du reste, il n'avait jamais été un admirateur de la cuisine allemande, trop grasse, les Autrichiens sont plus raffinés, mais il était peut-être préférable de ne pas prendre de soupe de pommes de terre, il faisait trop chaud. Du cabri? Pourquoi pas du cabri?, les Autrichiens sont imbattables dans l'art de cuisiner le cabri. Mais c'est lourd, le médecin n'aurait pas été d'accord. Il se décida pour une simple Wienerschnitzel. C'est que la Wienerschnitzel faite à la mode autrichienne peut être quelque chose de sublime, et puis avec ce truc de pommes de terre croquantes qu'ils font, mais oui, allons-y pour la Wienerschnitzel. Il but du vin blanc autrichien, même si les vins parfumés ne lui plaisaient pas, et il porta mentalement un toast à la mémoire d'Helene. À ta grosse peau dure, dit-il, ma chère primadonna. Et pour finir un décaféiné, de façon à éviter les extrasystoles nocturnes.

Quand il sortit à nouveau dans la cour intérieure, il fut tenté de visiter la maison, qui était à présent une maison-musée. Comme c'était amusant ! Mais qui sait, on l'avait peut-être restaurée, reblanchie, nettoyée de la vie, adaptée aux touristes intelligents. Il se la rappelait une nuit de mil neuf cent cinquante-quatre, tandis que l'autre crétin se trouvait dans les coulisses du Berliner Ensemble à regarder la carriole de sa Mère Courage. Il l'avait passée au peigne fin, chambre après chambre, tiroir après tiroir, feuille après feuille, lettre après lettre. Il la connaissait comme personne : il l'avait violée. Je suis désolé, dit-il doucement, je suis désolé, vraiment, mais c'était les ordres. Il sortit dans la rue et fit quelques mètres. On accédait au cimetière qui donnait sur la chaussée, protégé par une clôture, en empruntant une petite rue latérale. Celle-ci était déserte. Il y avait beaucoup d'arbres, les morts reposaient tous à l'ombre. Un cimetière petit, mais racé, pensa-t-il, avec de grands noms : philosophes, médecins, lettrés : les happy few. Que font les personnalités importantes dans un cimetière ? Elles dorment, oui, elles aussi dorment tout comme les personnes qui ne furent pas importantes. Et toutes dans la même position : horizontale. L'éternité est horizontale. En cheminant au hasard, il vit la pierre tombale d'Anna Seghers. Quand il était jeune, il avait beaucoup aimé ses poèmes. Il lui en vint un en tête, qu'un acteur juif, il y a bien longtemps, récitait tous les soirs dans un petit théâtre du Marais. C'était un poème terrible et déchirant, et il n'eut pas le courage de le redire, même de mémoire.

En arrivant devant la tombe, il dit : salut, je suis venu te rendre visite. Mais brusquement, il n'eut plus aucune envie de lui parler de la maison et de la façon dont il s'était bien installé pour sa vieillesse. Il hésita et se contenta de dire : toi, tu ne me connais pas, je m'appelle Karl, c'est mon nom de baptême, figure-toi que c'est mon vrai nom. À ce moment arriva un papillon. C'était un petit papillon banal aux ailes blanches, une piéride vagabonde qui vaguait dans le cimetière. Il s'immobilisa et ferma les yeux, comme s'il faisait un vœu. Mais il n'avait aucun vœu à faire. Il rouvrit les yeux et vit que le papillon s'était posé sur la pointe du nez du buste en bronze qui se dressait devant la pierre.

Je le regrette pour toi, dit-il, mais ils ne t'ont pas donné l'épitaphe que tu avais dictée de ton vivant : ci-gît B.B., propre, objectif, méchant. Je le regrette, mais ils ne te l'ont pas mise, il ne faut jamais faire d'épitaphes anticipées, de toute façon les vivants n'obéissent pas. Le petit papillon battit des ailes, il les leva à la perpendiculaire en les réunissant comme s'il était sur le point de prendre son envol, mais il ne bougea pas. Tu avais vraiment un sacré nez, dit-il, et une caboche hirsute comme une brosse, tu étais une grosse tête, tu as toujours été une grosse tête, tu m'as donné beaucoup à faire. Le papillon prit brièvement son envol puis se reposa au même endroit.

Crétin, dit-il, moi j'étais ton ami, je t'aimais bien, ça t'étonne que je t'aie bien aimé ? alors écoute, en ce mois d'août de l'année cinquante-six, quand tes coronaires ont explosé, j'ai pleuré, vraiment, j'ai pleuré, je n'ai pas pleuré souvent dans ma vie, tu sais ?, Karl a peu pleuré quand il en était temps, et pour toi au contraire il a pleuré.

Le papillon prit son envol, fit deux fois le tour de la tête de la statue et s'éloigna. J'ai besoin de te dire quelque chose, dit-il précipitamment comme s'il s'adressait au papillon, j'ai besoin de te dire quelque chose, c'est urgent. Le papillon disparut derrière les arbres et il baissa la voix. Je sais tout de toi, je sais tout de ta vie, jour après jour, tout : tes femmes, tes idées, tes amis, tes voyages, même tes nuits et tous tes petits secrets, y compris les plus minuscules : tout. Il se rendit compte qu'il était en nage. Il reprit son souffle. De moi, à l'inverse, je ne savais rien. Je croyais tout savoir, et de moi je ne savais rien. Il fit une pause et alluma une cigarette. Il avait besoin d'une cigarette. Que Renate m'a trahi durant toute notre vie je l'ai découvert il y a seulement deux ans, quand les archives ont été ouvertes. Qui sait pourquoi, il me vint en tête que je pouvais moi aussi avoir une fiche, comme les autres. C'était une fiche complète, détaillée, celle de quelqu'un qui a été quotidiennement espionné. La rubrique « Famille » constituait un dossier entier, avec des photographies prises au téléobjectif. On y voit Renate et le chef du bureau des Affaires intérieures nus au soleil, sur la berge d'un fleuve. Ils font du naturisme. Au-dessous, il y a l'inscription : Prague, mille neuf cent cinquante-deux. J'étais alors à Paris. Puis il y en a beaucoup d'autres : en soixante-deux tandis qu'ils sortent d'un hôtel de Budapest, en soixante-neuf sur une plage de la mer Noire, en soixante-quatorze à Sofia. Jusqu'en quatre-vingt-deux, quand il est mort. Ses coronaires ont sauté, comme les tiennes, il était vieux, il avait vingt ans de plus que Renate, la vérité est concrète.

Il s'essuya le front avec un mouchoir et recula. Il était trempé de sueur. Il s'assit sur un banc en bois, de l'autre côté de la petite allée. Tu sais, dit-il, j'aurais voulu le dire à Renate, j'aurais voulu lui dire que je savais tout, que j'avais tout découvert, mais les choses sont drôles, Renate a eu une attaque, l'espoir demeurait qu'elle s'en remette, et en effet ils l'ont bien soignée, y compris avec la physiothérapie, tout ce qui était nécessaire, et pourtant elle ne s'est pas remise, toutes ces dernières années elle est restée dans sa chaise roulante et la parésie faciale n'a pas disparu non plus, chaque soir je pensais : demain je le lui dis, mais comment peux-tu dire que tu as tout découvert à une personne qui a le visage de travers et les jambes paralysées ?, je n'ai pas eu le courage, vraiment, je n'ai pas eu le courage.

Il regarda sa montre. Peut-être était-il temps de partir. Il se sentait fatigué, sans doute allait-il héler un taxi. Il dit : de ma nouvelle maison c'est surtout la vue sur Unter den Linden qui me plaît, c'est une belle maison, avec tout le confort moderne. Il se mit à marcher dans la petite allée jusqu'au portail d'entrée. Il hésita un instant et se retourna. Il fit un salut de la main, en direction du parc. Le soir je vais dîner dans les restaurants chics, dit-il encore, par exemple ce soir je pense aller dans un restaurant italien où ils font des spaghettis aux langoustines dont tu n'as pas idée, il y a plus de langoustines que de spaghettis. Il referma délicatement le petit portail, en évitant de faire du bruit. À notre époque il n'y avait pas d'endroits comme ça, mon cher, murmura-t-il pour lui-même, nous avons raté le meilleur de la vie.

ENTRE GÉNÉRAUX

« Je n'ai jamais cru que la vie imite l'art, c'est une boutade qui a fait fortune parce qu'elle est facile, la réalité dépasse toujours l'imagination, voilà pourquoi il est impossible d'écrire certaines histoires, pâle évocation de ce qui fut vraiment. Mais laissons tomber les théories, si tu le veux je vais te raconter l'histoire, mais c'est toi qui l'écriras, car tu as un avantage sur moi, tu ne connais pas celui qui l'a vécue. En vérité il m'a seulement raconté les faits qui ont précédé, la conclusion je l'ai apprise par un de ses amis avare de mots ; avec lui nous nous limitons à parler de musique ou de théorie des échecs, il est probable que si Homère avait connu Ulysse celui-ci lui aurait paru un homme banal. Je crois avoir compris une chose, que les histoires sont toujours plus grandes que nous, elles nous sont arrivées et nous en fûmes inconsciemment les protagonistes, mais le vrai protagoniste de l'histoire que nous avons vécue ce n'est pas nous, c'est l'histoire elle-même. Qui sait pourquoi il est venu mourir dans cette ville qui ne lui rappelle rien, peut-être parce qu'il s'agit d'une Babel et peut-être lui est-il venu le soupçon que son histoire est un emblème de la dimension babélique de la vie, son pays était trop petit pour y mourir. Il doit avoir presque quatre-vingt-dix ans, il passe ses après-midi à regarder par la fenêtre les gratte-ciel de New York, une fille portoricaine vient le matin mettre en ordre l'appartement, elle lui apporte un plat du Tony's Café qu'elle lui réchauffe au micro-ondes, après une religieuse écoute des vieux disques de Béla Bartók qu'il connaît par cœur il se risque à une petite promenade jusqu'aux portails de Central Park, dans l'armoire, sous une housse de plastique, il conserve son uniforme de général, quand il rentre il ouvre la porte de l'armoire et lui donne deux petits coups sur l'épaule comme s'il s'agissait d'un vieil ami, puis il va dormir, il m'a dit qu'il ne faisait pas de rêves et si ça lui arrive il s'agit uniquement du ciel des plaines de Hongrie, c'est l'effet du somnifère que lui a trouvé un médecin américain. Moi l'histoire je vais te la raconter en quelques mots, comme me l'a racontée celui qui l'a vécue, tout le reste n'est que conjectures, mais ça c'est tes affaires. »

Au moment où commence cette histoire, le protagoniste était un jeune officier de l'armée hongroise, et d'après le calendrier grégorien on était en mil neuf cent cinquante-six. Par pure convention nous l'appellerons László, prénom qui en Hongrie le rend anonyme, même si à la vérité il était *ce* László et pas un autre. D'un point de vue tout à fait conjectural nous pouvons l'imaginer comme un homme d'environ trente-cinq ans, grand, maigre, les cheveux blonds tirant sur le roux, les yeux gris avec un vague reflet bleu. On peut ajouter qu'il était l'unique héritier d'une famille de propriétaires terriens à la frontière avec la Roumanie, et chez lui, plus que le hongrois, on parlait l'allemand, selon la tradition de l'Empire des Habsbourg, et après l'expropriation des terres la famille s'était transférée à Budapest dans un grand appartement concédé par le régime communiste. On peut supposer qu'au lycée il avait un penchant pour les lettres et excellait en grec ancien, connaissait par cœur des passages entiers d'Homère et composait en secret des odes à la Pindare. Son professeur, le seul à qui il avait osé les montrer, lui avait prédit un avenir de grand poète, un nouveau Petöfi, chose à laquelle il n'avait lui-même pas cru, détail d'ailleurs insignifiant, s'agissant d'une pure conjecture. Le fait est que son père voulait qu'il devienne militaire, parce que lui-même dans sa jeunesse avait servi comme officier dans l'armée austro-hongroise, et qu'à présent l'armée appartienne à un régime communiste lui paraissait tout à fait secondaire, car la Hongrie passait avant tout, et c'était pour cette terre qu'on portait les armes, non pour les gouvernements, entités éphémères. Notre László accepta la volonté paternelle sans protester : au fond de lui-même il savait qu'il ne deviendrait jamais un nouveau Petöfi et il ne tolérait pas d'être le second de quiconque, il voulait exceller en quelque chose, quelle que soit cette chose, la force de volonté ne lui manquait pas et les sacrifices étaient faits pour lui. Il fut tout de suite le meilleur cadet de l'Académie militaire de Budapest, puis le premier élève officier et enfin l'officier de choix à qui, une fois son cours terminé, fut confié un délicat poste de commandement dans une zone frontière.

À ce point une digression serait nécessaire qui n'appartient même plus aux conjectures mais seulement à l'imagination de celui qui raconte une histoire entendue de quelqu'un à qui elle avait été racontée. Il est juste de penser que László, dans le village où il avait passé sa première jeunesse, là où son père possédait un temps des terres, avait laissé son premier amour et lui était resté fidèle. Une mise au point sentimentale sur notre László est nécessaire, sans quoi il pourrait passer pour un pantin habillé en militaire dans une histoire qui met en jeu la force de volonté et la force des muscles, mais exclut la force mystérieuse du muscle cardiaque. László avait un cœur sentimental, et attribuer les sentiments naturels qui appartiennent au cœur de chacun n'est pas une conjecture sans fondement, donc le cœur de László aussi battait pour un grand amour, et son grand amour regretté était une belle fille de la campagne à laquelle le jeune homme, suite à un après-midi dans un champ de blé, avait juré une fidélité éternelle, et dans cette grande maison paternelle protégée par les haies d'arbres elle allait lui assurer une descendance. Mais en attendant László était là, à Budapest, ville de grands palais, le général de l'état-major l'avait pris en sympathie, chaque dernier dimanche du mois il donnait une fête pour laquelle les invités revêtaient leur uniforme de cérémonie, après le dîner on dansait, un pianiste en frac jouait des valses viennoises, la fille du chef d'état-major, en dansant, avait les yeux qui se perdaient dans les siens, et qui sait si dans les yeux de László elle voyait vraiment László ou l'officier le plus brillant de l'Académie militaire décrit par son père. Mais cela est absolument secondaire, le fait est qu'après de brèves fiançailles ils se marièrent. On ne peut pas exclure que chez László l'imagination fût plus forte que la réalité. Il aimait sa femme, qui était belle et gentille, mais il ne réussissait pas à retrouver en elle un amour qu'il pensait trahi, c'est-à-dire l'image désormais floue d'une fille de la campagne aux cheveux blonds. Voilà pourquoi il alla chercher ce fantôme dans les bordels de Budapest, d'abord en compagnie de certains frères d'armes, puis mélancoliquement tout seul.

Et nous sommes ainsi arrivés en mil neuf cent cinquante-six, année où l'armée de l'Union soviétique envahit la Hongrie. Le motif de l'invasion, on le sait, fut de nature idéologique, mais il serait impossible d'établir si la réaction de László fut de même nature ou si elle obéit à d'autres motifs : l'éducation reçue à la maison, par exemple, parce qu'il s'agissait du sol de la Hongrie, et comme le lui avait appris son père le sol de la Hongrie passe avant tout gouvernement ; ou alors pour des motifs purement techniques, disons-le ainsi, parce qu'un militaire obéit en priorité à son chef d'état-major, et les ordres ne se discutent pas. Il est cependant vrai aussi que László, venant d'une grande famille, disposait d'une vaste bibliothèque, et cela peut autoriser d'autres conjectures plus spécieuses, par exemple qu'il connaissait bien Darwin et pensait que les systèmes politiques, tout comme les organismes biologiques, avaient une évolution, et que ce système plutôt grossier, cependant fondé sur des bases de bonnes intentions, s'il était guidé par un homme comme Imre Nagy, pouvait conduire à un système meilleur. Ou peut-être avait-il lu le *Retour de l'URSS* d'André Gide, que d'ailleurs toute l'Europe avait lu et qui circulait clandestinement en Hongrie aussi. Parmi ces conjectures d'ordre secondaire nous pouvons en introduire une autre : qu'il se sentait conforté par l'éventuel soutien des partis communistes de certains pays européens, en particulier par les paroles d'un jeune fonctionnaire du parti communiste d'un pays qui lui paraissait important, un homme élégant qui parlait un français parfait et qui savait tout sur le goulag, et qui à un cocktail lui avait confessé être un communiste « améliorateur », définition dont le sens lui était demeuré vague mais qu'il avait cru en harmonie avec ses propres idées.

La nuit où les chars soviétiques franchirent la frontière hongroise, László se souvint de l'« améliorateur », et puisque ce jeune fonctionnaire lui avait laissé son numéro de téléphone il l'appela immédiatement avant que les Russes ne coupent les lignes : il savait que l'appui symbolique de ce pays démocratique aurait été plus important contre les chars soviétiques que la petite armée mal équipée dont disposait la Hongrie. Le téléphone sonna longtemps, puis une voix ensommeillée répondit, une domestique, désolée, monsieur est déjà sorti dîner, s'il voulait il pouvait laisser un message, László en laissa un, il dit de dire simplement que László avait appelé. Personne ne rappela, László pensa qu'on ne peut pas faire confiance aux domestiques, mais cela ne le préoccupa que très relativement car il avait d'autres choses auxquelles penser à ce moment, et puis, deux jours après, quand il entendit à la radio qu'au nom de son propre parti le camarade étranger avait qualifié de contre-révolutionnaires les patriotes hongrois, il comprit. Ce à quoi au contraire László est en train de penser maintenant, en regardant par la fenêtre les gratte-ciel de New York, c'est comment les choses sont curieuses, parce qu'il vient de lire une poésie de Yeats, *Men improve with the years*, et il se demande s'il n'en est pas justement ainsi, si le temps n'améliore pas vraiment les hommes, et si le fait de les améliorer ne signifie pas les annuler, parce qu'en les entraînant avec lui il fait ressembler à un mirage ce qui en un autre temps était vrai, et là il écoute la musique de Béla Bartók, le soleil est en train de tomber sur New York, il doit faire sa promenade hygiénique jusqu'à Central Park et il pense au temps où c'était lui qui voulait améliorer son temps.

Comment László avait réussi à tenir en échec l'armée russe pendant trois jours, c'est impossible à établir. On peut faire quelques conjectures : ses capacités de stratège, son obstination, sa fervente confiance en l'impossible. La vérité des faits est qu'en tout cas les chars de l'armée d'invasion ne réussirent pas à passer, les Soviétiques subirent de nombreuses pertes jusqu'à ce qu'au quatrième jour leurs forces aient raison du fragile peloton commandé par László. Le commandant russe était un homme d'à peu près son âge, par convention nous l'appellerons Dimitri, ce qui en Russie assure l'anonymat, mais il était *ce* Dimitri, et aucun autre. Géorgien, il avait étudié à l'Académie militaire de Moscou, et il aimait trois choses dans la vie : Staline, parce que c'était obligatoire de l'aimer et parce qu'il était géorgien comme lui, Pouchkine et les femmes. Militaire de carrière, il ne s'était jamais intéressé à la politique, il aimait simplement le sol de la Russie, c'était un homme irascible et jovial, peut-être malheureux, qui comme très jeune soldat avait été décoré pour son courage dans la guerre contre les nazis, car il détestait vraiment les nazis, mais il ne réussissait pas à détester les Hongrois et il ne comprenait pas pourquoi il aurait dû le faire. Pourtant l'inattendue résistance de ce peuple l'irrita, la mort de ses soldats l'attrista et surtout l'inutilité de cette résistance dont il n'arrivait pas à comprendre le sens, les Hongrois savaient bien qu'ils seraient balayés comme une brindille et que chaque heure passée à résister ne serait qu'une illusion faite de sang. À quoi bon verser du sang sur une illusion ? Cela le troubla.

Quand l'ordre voulu par Moscou fut rétabli à Budapest et que le gouvernement indésirable fut remplacé par des hommes plus fidèles, les officiers hongrois qui avaient participé à la rébellion, comme on appela la résistance, furent jugés. Parmi eux se trouvait naturellement László, il avait été un des pires rebelles et une condamnation exemplaire l'attendait. Ce faux tribunal, pour conforter ses propres accusations, demanda un rapport écrit à l'officier Dimitri, qui l'envoya de Moscou. La sentence était courue d'avance, il s'agissait juste d'une façade, pourtant László, en raison de la force qu'ont les choses écrites, pensa qu'il était condamné surtout à cause du rapport de Dimitri. Il écopa de la condamnation qui attendait un rebelle comme lui : il fut dégradé publiquement, puis expulsé de l'armée, et enfin emprisonné en habits civils, de façon que l'uniforme hongrois demeure sans faute. Quand ils le libérèrent c'était déjà un homme âgé, sa maison avait été confisquée, il n'avait pas de moyens de subsistance, sa femme était morte, il souffrait d'arthrite. Il alla vivre auprès de sa fille, qui avait épousé un vétérinaire de province. Et ainsi passa le temps, jusqu'au jour où, avec la chute du mur de Berlin, s'écroulèrent aussi l'Empire soviétique et le système des pays satellites comme la Hongrie. Quelques années après, le nouveau gouvernement démocratique de son pays décida de réhabiliter les militaires qui en mil neuf cent cinquante-six avaient conduit la révolte contre l'Union soviétique. Il en restait peu en vie, et parmi ceux-ci se trouvait László.

*

Parfois le sens profond d'une histoire se révèle alors que cette histoire semblait conclue. La vie de László avait apparemment atteint son terme, son histoire aussi. Et c'est au contraire à ce moment précis que celle-ci acquit une signification inattendue.

Sa fille et son petit-fils l'accompagnèrent à Budapest pour la cérémonie qui le réintégrait dans l'armée et lui attribuait la médaille de héros de la Hongrie. Il s'y rendit dans le vieil uniforme qui avait résisté au temps malgré quelques trous de mites. Ce fut une cérémonie solennelle, retransmise à la télévision, dans l'immense salon du ministère : de la même façon qu'il avait été dégradé d'un instant à l'autre il y a tant d'années, il monta en grade d'un instant à l'autre, se retrouva général de l'armée et on lui épingla de nombreuses médailles sur la poitrine. Le ministère de la Défense lui avait réservé une luxueuse suite dans le meilleur hôtel de la ville. Ce soir-là László s'endormit tout de suite, peut-être parce qu'il avait trop bu, mais il se réveilla au milieu de la nuit, il eut une longue insomnie et durant cette insomnie une idée lui vint. Il est difficile de faire des conjectures sur les motifs qui l'amenèrent à cette idée, le fait est que le lendemain matin László téléphona au ministère de la Défense, déclina son nom et son grade, dicta le nom et le prénom d'un certain général russe et demanda ses coordonnées. Elles lui furent fournies en quelques minutes : les services secrets hongrois savaient tout de lui et lui donnèrent même le numéro de téléphone. Dimitri, lui aussi, était général; médaille d'or de l'Union soviétique, désormais à la retraite, il vivait seul dans un petit appartement de Moscou. La nouvelle Russie lui accordait une mensualité ; veuf, il était inscrit à l'Association des joueurs d'échecs russes et avait un abonnement pour tous les samedis soir dans un petit théâtre où l'on ne mettait en scène que Pouchkine. László l'appela à une heure bien avancée de la nuit. Dimitri répondit à la première sonnerie, László se présenta et Dimitri se souvint immédiatement. László lui dit qu'il voulait faire sa connaissance, Dimitri ne lui demanda pas la raison, il la comprit, László lui proposa de venir à Budapest, il lui paierait le voyage et le séjour pour un week-end dans un grand hôtel de la ville, Dimitri refusa en avançant des raisons plausibles : une Hongrie qui ne lui plaisait pas, certains services secrets étrangers, qui sait ce qui pourrait lui arriver, il espérait qu'il comprenait. László dit qu'il comprenait, et donc, si Dimitri était d'accord, c'est lui qui allait venir.

Il partit pour Moscou le lendemain. Sa fille essaya de s'y opposer comme elle pouvait, mais László la pria de rentrer chez elle, de ne pas laisser le vétérinaire trop seul. Quand il fut de retour, il raconta simplement à sa fille et à son gendre que le voyage s'était bien passé. Face à leur insistance pour avoir des détails il répéta que le voyage s'était bien passé, rien d'autre. Sur cette fin de semaine à Moscou il ne fut plus explicite que bien plus tard, alors qu'il se trouvait désormais dans une ville dont il regardait les gratte-ciel depuis un petit appartement de Manhattan.

Le samedi soir il allait dîner dans un McDonald's entre la Soixante-dixième Rue et Amsterdam Avenue. Il le fréquentait pour deux raisons. Avant tout parce qu'il avait découvert que dans les restaurants chics à New York, on ne servait que le blanc du poulet, considérant comme méprisables les autres parties qui finissent dans les McDonald's, restaurants pour pauvres, et László aimait justement les parties du poulet réservées aux restaurants modestes. Et aussi parce qu'il avait connu dans cet établissement un groupe de compatriotes qui restaient jusque tard le soir pour jouer aux échecs. Il avait commencé à jouer avec l'un d'eux, un de ses contemporains, qui comme lui s'était opposé aux Soviétiques et qui avait la grande qualité de savoir écouter. C'est à lui que László choisit de raconter son voyage à Moscou : il était tard, la neige tombait et ils étaient restés tous les deux seuls avec le garçon qui balayait le sol. Cher Ferenc, dit-il, trois jours à Moscou, ville où je n'avais jamais été, quelle grande ville, elle t'aurait plu à toi aussi, les gens sont comme nous, ce n'est pas comme ici, où nous nous sentons tous étrangers. Le premier jour, Dimitri et moi avons parlé de tout et de rien et nous avons joué aux échecs ; il a gagné trois fois de suite et moi la quatrième, mais j'ai eu l'impression qu'il me laissait gagner. Le lendemain nous nous sommes promenés le long de la Moskowa et le soir nous sommes allés voir une pièce de Pouchkine. Le troisième jour il m'a emmené au bordel, c'est un lieu très élégant comme il n'en existe plus à Budapest, j'y ai été très bien et j'y ai retrouvé une virilité que je croyais morte. Ferenc, je veux te dire une chose, peut-être ne le croiras-tu pas, mais j'ai passé à Moscou les plus beaux jours de ma vie.

YO ME ENAMORÉ DEL AIRE

Le taxi s'arrêta devant une grille de fer forgé peinte en vert. Voilà le jardin botanique, dit le chauffeur. Il paya et descendit. Savez-vous dans quelle partie se trouve un bâtiment des années vingt?, demanda-t-il au chauffeur de taxi. L'homme ne comprenait pas très bien. Avec des frises de style Art nouveau sur la façade, précisa-t-il, ça doit être un édifice classé, je ne crois pas qu'on l'ait détruit. Le chauffeur secoua la tête et partit. Il devait être près de onze heures et il commençait à sentir la fatigue, le voyage avait été long. Le portail d'entrée était ouvert et un panneau informait les visiteurs que le dimanche l'entrée était gratuite, avec fermeture à quatorze heures. Il n'avait donc pas beaucoup de temps. Il s'engagea dans une allée bordée de palmiers au tronc haut et frêle, avec une petite touffe de vert au sommet. Il pensa : c'est ça les buriti?, à la maison on parlait toujours des palmiers buriti. Au bout de l'allée commençait le jardin avec une place pavée d'où partaient de petits sentiers en direction des quatre points cardinaux.

Sur le pavement était dessinée une rose des vents. Il demeura perplexe sur la direction à prendre : le jardin botanique était grand et il n'allait pas lui être possible de trouver ce qu'il cherchait avant l'heure de fermeture. Il choisit d'aller vers le Midi. Dans sa vie il avait toujours cherché le Midi, et à présent qu'il était arrivé dans cette ville du Sud il lui semblait juste de continuer dans la même direction. Cependant, il sentait en lui le souffle de la tramontane. Il pensa aux vents de la vie, car il y a des vents qui accompagnent la vie : le suave zéphyr, le vent chaud de la jeunesse qu'ensuite le mistral se charge de rafraîchir, certains vents du sud-ouest, le sirocco qui accable, le vent glacial du nord. L'air, pensa-t-il, la vie est faite d'air, un souffle et c'est parti, du reste nous non plus ne sommes rien d'autre qu'un souffle, une respiration, puis un jour la respiration cesse et la machine s'arrête. Lui aussi s'arrêta, car il était haletant. Tu as les poumons qui sifflent, se dit-il. Le sentier montait en pente raide jusqu'à des terrasses qu'on apercevait derrière les ombres de magnolias géants. Il s'assit sur un banc et sortit un carnet de sa poche. Il y notait le nom des lieux d'où provenaient les plantes qui l'entouraient : Açores, Canaries, Brésil. Au crayon il dessina quelques feuilles et quelques fleurs, puis, en utilisant les deux pages centrales du carnet, il dessina la fleur d'un arbre qui avait un nom très étrange, en provenance des Canaries-Açores. C'était un géant majestueux avec de longues feuilles lancéolées et d'énormes fleurs gonflées en épi qui semblaient des fruits. L'âge de ce géant était vraiment considérable, il fit le calcul : à l'époque de la Commune de Paris il devait déjà être adulte.

Il sentit qu'il avait repris son souffle et se dirigea d'un bon pas vers le bout du sentier. Le soleil le frappa tout à coup, en l'aveuglant. Il faisait très chaud, et pourtant la brise qui venait de l'océan était fraîche. La zone sud du jardin botanique se terminait par l'énorme terrasse en surplomb d'où l'on avait une vue panoramique complète sur la vallée occupée par la vieille ville, avec son réseau étroit de rues et ruelles, les maisons pour la plupart blanches, jaunes et bleu ciel. De là-haut on embrassait tout l'horizon, et au fond, sur la droite, par-delà les grues du port, l'ouverture sur la mer. La terrasse était délimitée par un petit mur qui lui arrivait jusqu'à la poitrine et sur lequel était représentée la ville en une mosaïque d'azulejos jaunes et bleues. Il se mit à en déchiffrer la topographie en cherchant à s'orienter d'après le dessin aux traits ingénus : l'arc de triomphe de la ville basse d'où partaient les trois artères principales, avec cette architecture des Lumières propre à la reconstruction ayant suivi le tremblement de terre ; le centre, avec les deux grandes places côte à côte, et à gauche le giratoire avec son énorme statue de bronze, puis les nouveaux quartiers en direction du nord, avec une architecture de type années cinquante ou soixante. Pourquoi es-tu venu ici, se dit-il, que cherches-tu ?, tout a disparu, ils se sont tous évaporés, autant pour toi. Il se rendit compte qu'il avait parlé à voix haute et il rit de lui-même. Il fit un signe en direction de la ville, comme s'il saluait quelqu'un. Une cloche, au loin, frappa trois coups. Il regarda l'horloge, c'était midi moins le quart, il décida de visiter une autre partie du jardin botanique et fit demi-tour pour prendre l'autre sentier. À cet instant il fut rejoint par une voix. C'était la voix d'une femme qui chantait, mais il ne comprit pas où. Il s'arrêta et essaya de la localiser. Il revint sur ses pas, se pencha par-dessus le mur et regarda en bas. Alors seulement il s'aperçut que sur la gauche, comme masqué par le palier escarpé du jardin botanique, s'élevait un édifice. C'était un vieil immeuble dont l'arrière donnait sur le jardin botanique, mais le côté droit, bien visible, faisait comprendre qu'il s'agissait d'un bâtiment des premières années du siècle, du moins à en juger par les corniches de pierre et les frises en stuc qui représentaient des masques de théâtre coiffés de couronnes de laurier. Il avait un toit en terrasse, une énorme terrasse où débouchaient les cheminées et où étaient tendus des fils pour la lessive. La femme lui tournait le dos, vue de derrière elle semblait une jeune fille, elle suspendait le linge et pour arriver jusqu'au fil elle se dressait sur la pointe des pieds, les bras en l'air, comme une danseuse. Elle portait un vêtement de coton imprimé qui lui dessinait un corps svelte, et elle était pieds nus. La brise gonflait le drap contre elle comme une voile et on aurait dit qu'elle l'embrassait. À présent elle avait arrêté de chanter, elle était penchée sur un panier en osier posé sur un tabouret dont elle extrayait des tissus de couleur, des maillots, lui sembla-t-il, comme si elle choisissait ceux qu'elle devait suspendre en premier. Il se rendit compte qu'il transpirait légèrement. La voix qu'il avait entendue et qu'à présent il n'entendait plus ne s'était pas éteinte, il l'entendait encore en lui, comme si elle avait laissé un écho qui se poursuivait, et en même temps il éprouvait une sorte d'étrange tourment, une sensation vraiment curieuse, comme si son corps avait perdu tout poids pour s'enfuir vers un lointain qu'il ne savait situer. Chante encore, murmura-t-il, je t'en prie, chante encore. La fille s'était mis un fichu sur la tête, elle avait ôté le panier de linge du tabouret et s'était assise, en cherchant à se protéger du soleil dans le peu d'ombre produite par les draps. Elle lui tournait le dos et ne pouvait le voir, mais lui, comme magnétisé, la fixait sans réussir à détourner le regard. Chante encore, dit-il du bout des lèvres. Il alluma une cigarette et observa que sa main tremblait légèrement. Il pensa avoir eu une hallucination auditive, nous croyons parfois entendre ce que nous aimerions entendre, plus personne ne chantait cette chanson, ceux qui la chantaient étaient tous morts, et d'ailleurs de quelle chanson s'agissait-il, à quelle époque remontait-elle ? Elle était très ancienne, du XVIe siècle ou plus tardive, va savoir, était-ce une ballade, une chanson de cavalerie, une chanson d'amour, une chanson d'adieu ? Il l'avait sue, dans un autre temps, mais ce temps n'était plus le sien. Il fouilla dans sa mémoire, et en un instant, comme si un instant pouvait absorber les années, il revint au temps où quelqu'un l'appelait *migalha.* Migalha signifie miette, se dit-il, et à l'époque tu étais une miette. Brusquement arriva une rafale plus forte, les draps claquèrent au vent, la femme se leva et commença de suspendre des maillots colorés et des culottes courtes. Chante encore, susurra-t-il, je t'en prie. À ce moment les cloches de l'église voisine se mirent à sonner midi à tout rompre et, comme s'il avait été appelé par le bruit, de la petite guérite où se trouvait à coup sûr l'escalier qui menait à la terrasse surgit un enfant qui courut vers la fille. Il devait avoir quatre ou cinq ans, avait les cheveux bouclés, des sandales avec des yeux à lunettes sur la pointe et un pantalon tenu par des bretelles. La fille posa le panier à terre, s'accroupit, cria : Samuele !, et ouvrit les bras dans lesquels l'enfant se jeta, la fille se leva et se mit à tourner sur elle-même collée au garçon, ils tournaient ensemble comme un manège, les jambes de l'enfant étaient tendues à l'horizontale, et elle chantait, Yo me enamoré del aire, del aire de una mujer, como la mujer era aire, con el aire me quedé[2].

Il se laissa glisser à terre, le dos appuyé au mur, et regarda vers le haut. Le grand azur du ciel était une couleur qui peignait un espace ouvert. Il ouvrit la bouche, pour respirer cet azur, pour l'engloutir, puis il l'embrassa, en le serrant contre sa poitrine. Et il

2. Traduction libre : « Je me suis énamouré de l'air / De l'air d'une femme / Et vu que la femme était air / Je restai avec une poignée d'air. »

disait : Aire que lleva el aire, aire que el aire la lleva, como tiene tanto rumbo no he podido hablar con ella, como lleva polisón el aire le bambolea[3].

3. « Air qui emporte l'air / Air que l'air emporte avec lui / Et vu qu'il allait si rapidement / Je n'ai pu lui parler / L'air la soulève / Comme si elle était une jupe. » (Chanson sépharade du XVIe siècle.) (*N.d.A.*)

FESTIVAL

Il me demanda ce que j'en pensais. Ce n'était pas facile de trouver les mots, il était tard, la fatigue pesait, j'aurais voulu aller dormir, je regardais les lumières du golfe, une brise chargée d'humidité s'était levée, sur la terrasse de l'hôtel restaient les trois ou quatre habituels retardataires, c'était fatigant de le suivre, surtout dans une langue pour chacun étrangère ; de temps en temps il faisait une pause pour chercher le mot juste et durant ces pauses mon attention se perdait encore plus, un pays sous surveillance, il espérait que je comprenais, bien sûr que je comprenais, je comprenais parfaitement, même si pour mieux comprendre les choses il fallait les avoir touchées de sa main, pourtant je savais parfaitement que dans ces années-là son pays était sous surveillance ou plutôt que c'était un pays policier, pour le dire mieux. Exactement cela, un pays policier, dit-il, et moi j'étais un pauvre employé de l'État, parce que tout était de l'État, vous comprenez ?, vous voulez savoir pourquoi dans la biographie que j'ai donnée au jury du festival j'ai écrit sous profession « avocat », c'est simple, parce que c'était ma profession, j'étais un avocat de l'État, je défendais pour le compte de l'État les personnes que l'État voulait condamner, je ne sais pas si vous comprenez le cercle vicieux, j'étais dans un cercle vicieux, telle était la fonction de ma profession, accepter le cercle vicieux, j'étais le chien qui se mord la queue, ou plutôt, j'étais la queue mordue par le chien. Puis il ajouta : et si on buvait quelque chose? Vraiment une excellente idée, acquiesçai-je, pour moi peut-être une tisane, les images violentes du dernier film qu'ils nous avaient fait avaler dans la journée étaient restées en Technicolor dans mes rétines fatiguées, la violence en Technicolor, continua-t-il, chez nous au contraire la violence était grise, pas même en noir et blanc, non, grise, et je devais m'adapter à ce gris, parce que j'étais le gris fonctionnaire d'un État qui pour faire croire à l'étranger que la démocratie appartenait au peuple assurait aux accusés un avocat d'office comme dans les vraies démocraties, sauf que les accusés dont je m'occupais n'avaient pas commis de vol, de fraudes, d'homicides ou autres délits qui figurent dans le Code pénal, ils avaient commis le délit de penser d'une manière différente de ce que pensait l'État et ils avaient exprimé leur opinion en public, ou en privé, parce qu'ils en avaient peut-être parlé avec le cousin ou le beau-frère et ceux-ci étaient allés le rapporter à la police d'État. Il fit une pause, et pendant ce temps le garçon était arrivé avec nos commandes, mais j'avais changé d'idée, je préférais un café, un expresso à l'italienne, il y a des occasions où il faut être bien réveillé, ce sont des occasions rares, je lui demandai s'il connaissait le proverbe italien, peut-être y avait-il une variante semblable dans son pays, évidemment qu'il le connaissait, si ce soir vous vous donnez de la peine vous aurez quelque chose, dit-il en souriant, un chien à qui on mordait la queue, mieux vaut en plaisanter, comme ça on ne verse pas dans le trop dramatique, je vais vous raconter l'histoire d'un chien dont on mordait la queue.

La brise était tombée d'un coup et laissait une nuit transparente, le long de la mer passa un groupe qui chantait *Cielito lindo,* dans la journée nous avions vu un film mexicain en concours, il n'allait pas gagner, le réalisateur et les acteurs le savaient, c'était un film simple et très vrai, de ceux qui dans les festivals importants n'ont pas de prix, et dont parlera peut-être un critique raffiné. Ils ont compris et ils jouent le jeu, dis-je. Eh bien moi aussi d'une certaine façon je jouais le jeu, dit-il, mais on joue le jeu même s'il est truqué quand on espère qu'un jour on va toucher la carte gagnante, voilà la perversité du cercle vicieux, c'est comme Achille et la tortue, sur le papier la tortue gagne la course, la logique est convaincante, mais la vérité c'est qu'Achille est Achille, le plus rapide, et toi tu es la tortue, pardonnez-moi ces divagations zoologiques, du chien je suis passé à la tortue, c'est qu'au procès on partait à égalité, et la tortue en théorie pouvait arriver avant Achille, et le but était l'absolution des accusés, mais ce but n'arrivait jamais pour la tortue, jamais elle n'atteignait le but avant Achille : ma course consistait à boiter péniblement derrière le pied ailé afin qu'il n'atteigne pas le but trop de mètres avant moi, de toute façon la course était à lui, disons que moi je me contentais de centimètres, je travaillais en centimètres, je ne sais pas si je me fais comprendre, je vous fais une équation : un centimètre, un an de camp de travail en moins, deux centimètres, deux ans en moins, et ainsi de suite, parfois il fallait même se contenter de millimètres, j'essayais de ronger quelques millimètres, deux ou trois mois de prison en moins c'est tellement dans la vie d'une homme, par exemple : mon client ne prétendait absolument pas attenter à la sécurité de l'État, il est vrai que les livres trouvés dans son appartement sont imprimés en France, mais je fais remarquer à cette respectable cour qu'il s'agit de textes sur la Révolution française, qui comme nous le savons a mis fin à la monarchie absolue : des choses de ce genre, et le ministère public ne faisait jamais la moindre objection, ne posait jamais la moindre question, de toute façon la course était déjà gagnée au départ, la sentence était déjà écrite, il suffisait aux juges de quelques minutes de fausse réunion dans la chambre du conseil pour lire une feuille qu'ils avaient déjà dans la poche, mais avec quelle componction ils écoutaient ma harangue, mes discours qui demandaient la clémence ou qui revendiquaient le droit de penser, en fonction des millimètres que j'avais à ronger en la circonstance.

Il fit un signe de la main comme pour dire assez,

ramassa sur la table les cigarettes et le briquet, mit un billet sur la coupelle de l'addition, je ne voudrais pas vous ennuyer davantage, dit-il à voix basse, vous êtes fatigué, et de toute façon il s'agit d'histoire périmée. Alors, avec un geste d'intimité peu adapté au fait que nous nous connaissions depuis peu, je l'arrêtai en le retenant par le bras, nous ne pouvons laisser cette histoire être avalée par la nuit, dis-je, s'il vous plaît. J'étais en train de me perdre dans trop de détails, dit-il, je vais essayer d'aller à l'essentiel, d'ailleurs cette vieille histoire est au fond simple, ou du moins vue d'ici aujourd'hui elle me semble simple et les détails l'appauvrissent, et la vérité c'est qu'un jour, le jour fatidique, je n'ai plus eu le moindre millimètre à ronger, c'était zéro absolu, j'allais rester cloué sur la ligne de départ, j'aurais pu prétendre que mon client soit déclaré pénalement irresponsable, mais ce n'était pas plausible, il ne s'agissait pas d'une circonstance atténuante adaptée à un journaliste de talent connu pour ne s'être jamais dissocié du régime, mais comment, un homme comme lui n'était pas responsable de ses propres actions ?, m'auraient-ils carrément ri au nez. Le cas était le suivant : mon client avait fait passer à un hebdomadaire allemand certains documents sur la répression du régime, il avait une taupe au ministère de l'Intérieur et il avait préparé les choses avec soin, il avait demandé un passeport pour se rendre à Francfort faire une enquête sur la décadence de l'Allemagne occidentale, imaginez un peu, il devait traverser la frontière le dix janvier et le samedi suivant, le douze janvier, l'hebdomadaire aurait publié les photocopies des documents avec un reportage signé d'un pseudonyme, qui était en fait lui. Je ne sais pas ce qui s'était passé, l'hebdomadaire avait les photocopies depuis longtemps et peut-être craignait-il que cela ne soit plus comestible, votre presse a toujours peur que les informations ne vieillissent, l'inévitable n'arrive jamais l'imprévu toujours, a écrit quelqu'un, et l'imprévu ça avait été cela, un banal fait d'anticipation, voilà quelle était la situation de la tortue, il ne s'agissait plus de grignoter des millimètres, peut-être pouvais-je lui obtenir l'internement en psychiatrie, un peu mieux que le camp de travail, parce que les intellectuels qui finissaient là se fatiguaient moins et étaient traités avec plus de respect, mais d'un point de vue moral c'était encore pire, quand je me levai pour la harangue je ne me sentis être ni le chien ni la tortue, je me sentais juste comme un ver, pour descendre toujours dans l'échelle biologique, mais comme je le disais avant l'inévitable n'arrive jamais, l'imprévu toujours. Et l'imprévu fut que la porte de la salle s'ouvrit, un huissier entra précédant un monsieur jusqu'à la barre, c'était un homme grand, avec quelques fils gris dans les cheveux, je pensai que c'était un officier judiciaire, il tenait à la main une feuille qu'il montra aux juges, les magistrats la lurent chacun son tour et se mirent à comploter, le président du tribunal fit un signe à l'huissier, celui-ci alla à la porte de la salle et fit entrer un jeune homme avec une caméra et un micro, le jeune homme plaça le micro au milieu de la salle, puis ouvrit le trépied et y installa la caméra de façon à filmer la cour de face et moi et l'accusé de dos, le président du tribunal me fit signe de me lever, c'était à moi, la toge sur les épaules me semblait trop lourde et tout à coup je sentis une chaleur exagérée dans cette salle où l'on avait froid, je défendais un cas vraiment difficile mais je fis ma harangue avec conviction même si cela n'allait servir à rien, comme je l'ai dit ils restaient peu de minutes dans la chambre du conseil, les juges de cette démocratie étaient pressés de rentrer à la maison, surtout en hiver, quand les rues de Varsovie sont pleines de neige glacée et qu'il est préférable de rentrer avant la nuit tombée. Et au contraire ils tardaient à revenir, et les minutes passaient. Il y avait un silence, dans cette salle, vous ne pouvez pas imaginer, dire un silence de tombe est un lieu commun mais je ne trouve pas d'autres mots, ou plutôt, pour rendre hommage à un écrivain du pays où nous nous trouvons je vous dirai que c'était un silence d'outre-tombe. Finalement la cour revint, mais avant de lire le verdict le président prit soin de dire que l'erreur est humaine, et que persévérer dans l'erreur est diabolique, et la cour était certaine que l'accusé n'allait pas persévérer, c'était une personne trop estimée par le gouvernement et par le peuple pour persévérer dans son erreur et que, c'était le verdict, l'amende qu'on attendait de lui allait être une reconnaissance publique de sa propre erreur, éventuellement dans le quotidien du parti qui lui offrirait toute sa généreuse hospitalité. Même s'ils avaient trouvé une voie de sortie perfide, parce que comme dans les procès staliniens ils voulaient qu'il se reconnaisse lui-même coupable, ils ne l'avaient toutefois pas condamné, ils n'avaient pas eu le courage de le condamner, et ça c'était vraiment insolite en ce temps-là, dans mon pays. Je me félicitai avec mon client qui avait sur le visage une expression incrédule, j'étais pressé de sortir de la salle pour connaître ce monsieur élégant, l'illusionniste qui avait dompté les fauves en changeant sous les yeux des spectateurs le numéro de cirque. Lui n'y avait rien trouvé d'étrange, les artistes sont parfois comme ça, je n'avais jamais vu en vrai ce cinéaste, je ne le connaissais que de nom, le pourquoi de son irruption, c'est cela que je voulais savoir, mais quelle question, ce n'était pas du tout une irruption, il était simplement un des réalisateurs des Études de l'État pour le documentaire, un institut d'État, et il lui était venu l'idée de faire un documentaire sur les procès intentés à des citoyens accusés d'activité contre l'État, et il avait ainsi demandé un permis régulier à l'État, et évidemment l'État le lui avait octroyé, parce qu'une institution étatique ne peut pas nier le droit à un de ses réalisateurs de filmer les procès qui concernent l'État. Naturellement tout le matériel filmé allait passer au crible de hauts fonctionnaires de l'État pour recevoir l'approbation nécessaire avant tout montage, il était sûr qu'il n'obtiendrait jamais l'autorisation mais c'était quelque chose de secondaire, car l'important c'était de filmer la réalité, et ces fonctionnaires devaient archiver la réalité, ils ne pouvaient pas la jeter, et je savais comme lui que les fonctionnaires de l'État, en ce cas les juges, n'aimaient pas être jugés par d'autres fonctionnaires de l'État, parce que notre État était fondé sur le soupçon réciproque, le seul élément de cohésion qui le tenait debout : voilà, le but était celui-là, filmer pour laisser notre présent dans les archives, j'étais satisfait ? À ce point je lui demandai s'il pouvait me donner son adresse, mieux valait éviter le téléphone, cela me plairait de parler avec lui, j'étais un passionné de cinéma. Mais je n'y allai pas tout de suite, en réalité le cinéma m'intéressait peu, j'y allai quand le moment fut venu, je serai bref, sans quoi je vais finir par en faire un scénario, c'était la fin de l'hiver, il me reçut dans son appartement, un lieu sobre, il y avait uniquement des livres et des affiches, à cette époque nous étions tous pauvres. Je lui dis que j'avais un autre cas à lui proposer pour son documentaire, un procès encore plus difficile que le précédent, une chose digne de rester dans les archives parce que l'accusé n'était cette fois pas même une personne, c'était une pièce, je ne sais pas bien s'il s'agissait d'un drame ou d'une comédie, on pouvait l'appeler comme on voulait, c'était du théâtre, un spectacle sans pratiquement aucun scénario, il ne se disait presque aucune parole, on parlait avec le corps, il y avait un metteur en scène, c'est vrai, mais dans un spectacle il y a les acteurs, l'auteur des musiques, l'éclairagiste, le scénographe, impossible d'amener tous ces gens sur le banc des accusés, bref, pas même un mot contraire aux idéaux de l'État, l'accusé, si l'on peut dire ainsi, était la façon de mettre en scène ce spectacle, considérée comme subversive, mais même l'accusation était peu claire, comment fait-on pour accuser une façon ? Venez filmer un procès à la fiction, lui dis-je, un procès à la pure fiction. Il vint, et filma la lecture de l'acte d'accusation par le ministère public, une lecture qui s'avéra si grotesque que même le ministère public s'en rendit compte et à un certain point se mit à hésiter, la cour n'eut pas besoin de se retirer dans la chambre du conseil, le président du tribunal objecta que l'accusation n'avait pas de consistance juridique et qu'on pouvait représenter la pièce. Puis des mois passèrent, peut-être une année, durant lesquels je n'eus pas besoin d'aller le trouver. Jusqu'au jour où je fus de nouveau contraint de sonner à sa porte. Mais cette fois il ne s'agissait pas d'une représentation, il s'agissait de la réalité, de la vie d'un homme, ce sont les mots que j'utilisai, parce que la condamnation qu'ils allaient lui infliger revenait à l'enterrer vivant. Je lui exposai le cas, et il m'écouta avec attention. Quel dommage ! dit-il, il l'aurait fait très volontiers, malheureusement son documentaire était pour le moment arrêté, l'Institut du Cinéma était à court de pellicule, il en avait demandé aux autorités compétentes depuis plus d'un mois et on ne s'était pas encore occupé de la leur fournir, je connaissais mieux que lui les lourdeurs de notre bureaucratie, peut-être la pellicule allait-elle lui arriver après l'été. Ce fut en moi une impulsion, je crois n'avoir pas eu même le temps de penser à ce que je disais, je dis : venez même sans pellicule, maître.

Il fit une pause. Il alluma une cigarette, il hésitait comme qui craint de ne pas être cru. C'est ainsi que furent filmés mes procès suivants, continua-t-il, avec la caméra vide, et à chaque fois les sentences furent généreusement indulgentes. De ce bref documentaire, pas même une demi-heure, qu'il avait effectivement filmé et qui demeure enseveli dans les archives d'un État défunt, toute la suite, au moins deux bonnes heures de film, c'est-à-dire les images tournées sans pellicule, sont les plus émouvantes, mais elles ne vivent que dans les archives de ma mémoire et à un certain point il m'a presque semblé ce soir les voir projetées sur l'écran de cette claire nuit de mai. Il se tut, me faisant comprendre qu'il n'avait rien d'autre à ajouter, il leva son verre pour porter un toast à quelque chose que lui seul savait puis il dit : maintenant vous comprenez pourquoi dans ma fiche biographique je n'ai pas écrit scénariste, mais cela n'a pas d'importance, la chose la plus drôle de toute cette histoire est la phrase que je lui ai dite pour le convaincre de venir tourner sans pellicule : maître, ici il s'agit de la réalité, non d'un film. Justement à lui, qui a toujours prétendu qu'il est superflu de mettre en scène des situations si elles existent dans la vie réelle, il suffit alors de les filmer telles qu'elles sont. Pensez un peu à la sottise que je lui ai dite : ici il s'agit de la réalité, non d'un film. Maintenant qu'il n'est plus parmi nous et que ce festival lui dédie une rétrospective intégrale, à l'exclusion de son film le plus important, celui qui n'est pas sur pellicule, un désir m'est venu dont je ne sais s'il est nostalgie ou regret : je voudrais que par un sortilège il surgisse de la nuit, ne serait-ce qu'un instant, pour rire avec moi de cette phrase.

Il s'était levé. Il fit un geste ample qui me parut sans signification, comme s'il embrassait la nuit. Rire de cette phrase, ajouta-t-il, mais pas seulement de cette phrase, de tant d'autres choses dont seuls lui et moi pourrions rire, vraiment de tellement de choses, maintenant que ce n'est plus possible, mais je crains d'avoir abusé de votre patience et de votre fatigue, on se voit demain matin à la première projection, c'est un film tiré d'un best-seller, bonne nuit.

BUCAREST
N'A PAS DU TOUT CHANGÉ

1

Et puis il se trouvait bien là, trop bien même. Exagérait-il ? Non il n'exagérait pas, je m'y sens mieux qu'à la maison, disait-il, les repas prêts, le lit refait, les draps changés une fois par semaine, et une chambre tout à moi, avec même un petit balcon, c'est vrai que la vue n'est pas très belle, une étendue de constructions en ciment, mais sur la partie frontale du bâtiment, du balcon commun avec les petites tables et les fauteuils en osier, on jouit d'un magnifique panorama, toute la ville, et à droite, la mer, ce n'est pas une maison de repos, disait-il, c'est un hôtel. Il le disait presque avec colère, comme parlent parfois les vieux, et le fils n'osait pas le contredire. Papa, murmurait-il, ne t'énerve pas, je sais que tu es bien ici, je m'en rends compte. Tu ne sais rien, grommelait le vieux, qu'est-ce que tu crois savoir, tu dis ça pour me donner satisfaction, tu as eu la chance de naître dans ce pays, quand ta mère et moi avons réussi à partir ta mère avait un ventre comme ça, tu n'as jamais pensé que si nous n'avions pas réussi tu serais peut-être devenu un jeune homme fervent d'idéaux avec un foulard rouge autour du cou, un de ces boy-scouts qui flanquaient le cortège quand le magnifique couple passait avec l'auto présidentielle en bénissant la foule ?, tu sais ce que tu aurais crié en agitant le drapeau ?, longue vie au Conducator qui conduit notre peuple vers un radieux avenir. Et tu aurais grandi ainsi, tout autre chose que les langues que tu as apprises ici et toute ta culture et la linguistique, tout autre chose que la linguistique, la langue ils te la cousaient si tu n'étais pas un jeune homme obéissant aux idéaux du magnifique couple conducteur qui conduisait le peuple vers un radieux avenir.

Il a peut-être fini, pensa-t-il, maintenant il s'est défoulé, il est fatigué, le fils aurait voulu dire quelque chose pour ne pas répéter les mêmes banalités que lors de la précédente visite, d'accord, papa, ne t'énerve pas, tu viens de dire que tu es bien ici, mieux que chez toi, je le pense aussi, laisse tomber le passé, n'y pense pas, ça a eu lieu il y a si longtemps, s'il te plaît papa. Et au contraire il dit : d'accord, papa, ne t'énerve pas, tu viens de dire que tu es bien ici, mieux que chez toi, je le pense aussi, laisse tomber le passé, n'y pense pas. Mais le vieux ne le laissa pas finir, c'était à lui de parler, il était juste qu'il en soit ainsi, il avait maintenant le regard perdu dans le néant, il se caressait les genoux comme s'il voulait aplatir un pli du pantalon, il était assis dans ce petit fauteuil rembourré avec un coussin blanc derrière la nuque et regardait fixement une photographie dans un cadre argenté qui était placé sur la table de chevet. C'était l'image d'un garçon et d'une jeune fille qui se tenaient embrassés, il lui serrait la taille avec le bras droit, elle lui passait la main sur l'épaule sans presque l'appuyer, comme si elle était gênée d'être photographiée, elle avait un ruban dans les cheveux, une coiffure vaporeuse et un vêtement modeste, d'une coupe qui lui rappelait certains films d'avant guerre, comme c'était étrange, cette photographie il l'avait toujours vue à la maison sur la commode de la chambre de ses parents, il avait une fois, enfant, demandé à sa mère de qui il s'agissait et elle avait répondu : des personnes que tu n'as pas connues.

Tu sais que ce couple atroce a été reçu partout avec tous les honneurs jusqu'à hier ?, continuait le vieux en suivant ses pensées, tu le sais ou tu ne le sais pas ? Il ne répondait pas, il se contentait d'acquiescer légèrement, ça ne date pas d'hier, papa, osait-il murmurer, ils les ont tués il y a plus de seize ans, papa. Le vieux n'avait pas entendu. Ils lui donnaient des doctorats honoris causa sans arrêt, à la grande scientifique, poursuivait-il, elle avait inventé une potion magique, une gelée qui faisait rajeunir, qui arrêtait le temps, autre chose que les glandes de singe de ce charlatan russe, une galette de semoule, gelée royale et boue de la mer Noire, et pour cette merveilleuse découverte les chefs d'État des pays que tu fréquentes à présent l'accueillaient comme une bienfaitrice de l'humanité, doctorats honoris causa à la pelle, en France en Italie en Allemagne, je ne me souviens pas bien, dans ton

Europe, en tout cas, tu enseignes où, à Rome ? Eh bien n'oublie pas que les lois raciales ils les ont inventées justement là, dans ce beau pays de là-bas dont de sinistres représentants viennent en visite officielle dans ce beau pays d'ici où nous t'avons fait naître et ils sont reçus avec tous les honneurs, alors que dans celui où nous sommes nés ta mère et moi venaient au contraire les fervents adeptes du soleil de l'avenir, ils étaient attirés par la petite gelée d'éternelle jeunesse de la fausse scientifique, des vieillards comme moi qui ne se résignaient pas, ils s'installaient dans un bel hôtel sur la mer Noire, ils festoyaient généreusement mais le matin à jeun ils prenaient deux cuillerées de la magique gelée royale, puis ils allaient en toute liberté sur la plage réservée, progressistes et naturistes, à se regarder sous le ventre pour voir si la cure de la conductrice faisait son effet. C'était une infirmière, elle commença sa carrière de scientifique en mettant des bassines sous le séant des vieux dans des endroits comme celui-ci, puis elle a épousé le conducteur du peuple et elle est devenue scientifique, tu m'as dit que tu retournais à Rome demain ?, si tu as l'occasion de saluer machin, quand il apparaît à la fenêtre, la télévision l'a fait voir quand il est allé faire une excursion là où l'on m'amena en vacances lorsque j'étais jeune, il s'était mis des petites chaussures gracieuses et une soutane blanche, vraiment la couleur adaptée au lieu, l'innocence, si au moins il avait revêtu une bure, qui est un habit sérieux pour certaines circonstances, et comme si ça ne suffisait pas tu sais ce qu'il lui est venu en tête de dire avec sa voix de castrat?, de demander au Seigneur, le sien, naturellement, pourquoi il avait été absent, pourquoi il n'avait pas été là, et où il était. Quelles splendides questions. *Gott mit uns*, mon fils, voilà où il était, il était avec eux, il était là, à côté des sentinelles qui gardaient les barbelés, des fois que l'un d'entre nous aurait eu l'idée de s'échapper, même si nous ne tenions pas debout.

Il s'était allumé une cigarette qu'il avait cachée sous une serviette dans le tiroir où il mettait ses médicaments. Quand tu t'en iras ouvre la fenêtre, dit-il, si l'infirmière s'en aperçoit elle va me faire une scène, c'est une bonne pâte mais elle applique le règlement, ici ils sont tous maniaques du règlement, en tout cas je suis beaucoup mieux ici qu'à la maison, qui du reste n'était pas un palais, et puis tu te souviens de l'assistante sociale que la municipalité m'avait assignée dans l'intention qu'elle s'occupe de moi quatre heures par semaine, imagine-toi, cette Ukrainienne à la tête dure, elle me regardait comme si j'avais été un document administratif, et pas même un mot de roumain, et puis à des gens comme nous, je pense maintenant à la famille de ta mère, qui ont connu ce qu'ils ont connu en Ukraine, tu leur donnes une Ukrainienne comme assistante sociale, une tête dure qui si tu lui parles roumain fait semblant de ne pas comprendre et te répond dans sa langue. Il aurait voulu lui dire : papa, s'il te plaît, ne dis pas des choses absurdes, elle ne te parlait pas dans sa langue, elle te parlait en hébreu, et elle ne faisait pas semblant de ne pas comprendre le roumain, elle ne le comprenait vraiment pas, c'est toi qui n'as jamais voulu apprendre l'hébreu correctement, tu t'es toujours obstiné à parler le roumain, même avec moi, moi je t'en suis reconnaissant parce que tu m'as donné ta langue, mais tu ne peux pas en faire une question nationale, je comprends ton problème, quand maman et toi êtes arrivés ici tu avais plus de quarante ans, ça n'a pas été facile, mais tu ne peux pas attribuer la faute à l'assistante sociale si elle ne te parle pas en roumain. Il préféra pourtant ne rien dire parce que le vieux pendant ce temps avait repris son soliloque en revenant sur un sujet apparemment conclu, comme ça lui arrivait désormais. Je te prierai de ne pas me le faire répéter, dit-il, ici j'ai l'impression d'être à l'hôtel, et si tu veux rester à Rome pour enseigner ta discipline ne t'en fais pas un problème de conscience, tu vois comme elle est belle cette chambre ?, un hôtel comme ça je n'en ai jamais eu de ma vie, tu ne peux pas imaginer quand moi et ta mère avec un ventre comme ça nous avons réussi à quitter ce merdier, tu ne peux pas imaginer l'endroit dans lequel j'ai laissé mon frère, après sa maladie, ce n'était pas un hospice, c'était un camp, le camp du grand conducteur de l'humanité lancé à toute allure vers un radieux avenir, je l'ai laissé dans une petite chaise à roulettes dans le corridor, il a tenté de nous suivre jusqu'à la sortie mais il n'a pas bougé d'un millimètre, les chaises roulantes des hospices du Conducator étaient clouées au sol, et alors il a commencé de prier à voix haute, il m'appelait et il récitait le Talmud, pour nous arrêter, tu comprends ?, si ta mère et moi nous partions plus personne n'allait venir le voir, s'occuper de lui, mais à ce moment-là, tandis que je pleurais en cherchant à cacher mes larmes, avec toutes ces sorcières en blouse blanche qui me regardaient, toutes des espionnes travesties en infirmières, dis-je, à ce moment-là, en somme, on ne peut pas faire ça à un frère, tu ferais ça à un frère même si tu n'en as pas ?, et alors je me suis retourné et je lui ai dit à voix haute afin que les espionnes en blouse blanche m'entendent bien : des camps de Codreanu nous avons réchappé ensemble, mais celui du grand Conducator je l'ai enduré tout seul, pendant cinq ans, mon cher frère, et vu que j'ai été rééduqué je peux m'en aller, parce que aux rééduqués on leur concède parfois le visa de sortie, et de ma rééducation je garderai un souvenir tout personnel.

Il se tut, comme s'il avait fini, mais il n'avait pas fini, c'était seulement une pause, il avait besoin de reprendre son souffle. Tu sais, mon fils, tu as envie de raconter tes souvenirs aux autres, ceux-ci sont à l'écoute de ton récit et comprennent peut-être tout jusque dans les infimes nuances, mais ce souvenir reste le tien et seulement le tien, ça ne devient pas le souvenir d'autrui parce que tu l'as raconté aux autres, les souvenirs se racontent, mais ils ne se transmettent pas. Et c'est alors que, étant donné que le discours venait à propos, le fils dit : à propos de mémoire, papa, un médecin m'a dit que tu refusais de prendre tes médicaments, l'infirmière s'est rendu compte que tu fais semblant d'avaler les comprimés et qu'ensuite tu les recraches dans le lavabo, pourquoi fais-tu ça ? Ces médecins ne me plaisent pas, murmura le vieux, ils ne comprennent rien, crois-moi, ce sont de grands savants ignorants. Je ne crois pas qu'il y ait grand-chose à comprendre, papa, répliqua-t-il, ils essaient seulement d'aider une personne de ton âge, c'est tout, d'ailleurs le diagnostic est négatif, il n'y a aucune pathologie sérieuse comme on le craignait, sinon ton attitude serait compréhensible car il ne s'agirait pas d'une attitude, il s'agirait de l'indice d'une pathologie progressive, mais dans ton cas c'est une attitude, ou en tout cas un fait purement psychologique, à ce que disent les médecins, voilà pourquoi ils t'ont prescrit ces comprimés, c'est un psycholeptique très léger, rien de mal, une simple petite aide psychologique. Le vieux le regarda avec une expression qui lui parut de la commisération, peut-être y avait-il un ton ironique dans sa voix. Aider, dit-il, mais bien sûr, aider, ils prétendent t'astiquer la mémoire comme un miroir, voilà le but, la faire fonctionner non pas comme elle le veut elle mais comme ils le veulent eux, qu'elle n'obéisse plus à elle-même, à sa nature, qui n'est pas de forme géométrique, tu ne peux pas représenter la mémoire avec un beau petit dessin géométrique, elle prend la forme qui lui paraît bonne en fonction du moment, en fonction du temps, en fonction de qui sait quoi, et eux, les grands docteurs, ils veulent te la trigonométriser, c'est le mot, de façon qu'elle soit bien maîtrisable, comme un dé, par exemple, ça les rassure, un dé a six faces, tu tournes autour et tu vois toutes les faces, il te semble que la mémoire est un dé? Il fit un signe de la main comme s'il chassait une mouche. Il se tut. Les mains avaient cessé de lisser le pli du pantalon. Les yeux clos, la tête appuyée contre le coussin du fauteuil, il semblait s'être endormi. Il y a de nombreuses années, susurra-t-il, je faisais un rêve récurrent, j'ai commencé à faire ce rêve à quinze ans, dans le camp de concentration, et pour la moitié de ma vie je l'ai traîné avec moi, il était rare qu'une nuit se passe sans que je fasse ce rêve, en vérité ce n'était pas même un rêve, parce que les rêves, même les plus déconnectés, ont malgré tout une histoire, et le mien était plutôt une image, comme s'il s'agissait d'une photographie, ou plutôt, c'était ma tête qui prenait cette photographie, si je puis dire ainsi, parce que j'étais là debout en train de regarder le brouillard et à un certain point, clic, mon cerveau prenait la photographie et devant moi se dessinait un paysage, ou mieux, il n'y avait aucun paysage, c'était un paysage fait de rien, c'était surtout un portail, un magnifique portail blanc, ouvert sur un paysage qui n'était pas là, rien d'autre que cette image, le rêve était surtout ce que je ressentais en regardant cette image que mon cerveau avait photographiée, parce que les rêves ne sont pas tant ce qui arrive mais l'émotion que tu éprouves à vivre ce qui arrive, et je ne saurais pas bien t'expliquer l'émotion que j'éprouvais car les émotions ne s'expliquent pas, pour être expliquées elles doivent se transformer en sentiments, comme l'avait compris Baruch, mais le rêve n'est pas le lieu adapté pour transformer une émotion en sentiment, je peux te dire que c'était un grand tourment, parce que dans le même temps j'éprouvais un grand désir de piquer une course de traverser ce portail et de me plonger dans l'inconnu sur lequel il s'ouvrait, fuir vers je ne sais quoi, et aussi bien j'éprouvais une sensation de honte, comme si je commettais un péché, et la sensation d'une faute qui n'était pas mienne, comme la peur d'entendre la voix de mon père ou de mon grand-père qui me faisait des reproches, mais il n'y avait aucune voix dans ce rêve, parce que c'était un rêve muet, il y avait seulement la peur de l'entendre. Le rêve s'en est allé la première nuit où nous sommes arrivés dans ce pays. Nous avons dormi à Jaffa dans la maison de personnes que tu n'as pas connues, ils sont morts à présent, ta mère ne pouvait plus mettre ses habits, nous avions deux valises seulement et il y avait une atmosphère de guerre, d'ailleurs dans ce pays c'est une atmosphère qui n'a jamais cessé, nous avons dormi sur la terrasse, qui était en fait le toit de la maison de ces braves gens, sur deux paillasses improvisées, il faisait chaud, on entendait les sirènes au loin et de la rue provenaient des bruits peu rassurants pour qui était habitué au silence des nuits de Bucarest, pas vraiment les conditions idéales, dirai-je, pour avoir un sommeil tranquille, et pourtant cette nuit-là j'ai dormi comme un enfant, et cette espèce de rêve qui m'avait tourmenté pendant tant d'années ne vint pas me visiter, et depuis ce jour il n'est jamais revenu.

Il s'interrompit. Il ouvrit un instant les yeux pour regarder son fils puis les referma. Il se remit à parler d'une voix si basse qu'il se pencha en avant pour pouvoir l'entendre. La semaine dernière il est revenu, susurra-t-il, tel quel, le même portail en fer, très blanc, les rêves ne rouillent pas, de toute évidence, ni les émotions qui les accompagnent, c'était exactement ce que je ressentais autrefois, le même tourment, désir de piquer une course et de le franchir, courir pour voir ce qu'il cache et où il conduit, et quelque chose me retient, non pas la voix de mon père, mon film est muet comme sont muettes les photographies, ce n'est pas la voix de mon père, si au moins j'entendais sa voix, c'est la peur de l'entendre, et maintenant assez. Il ouvrit les yeux et d'une voix claire et ferme il demanda : quand pars-tu ? Le fils répondit : mercredi, papa, mais je reviens te voir dans un mois. Ne jette pas tes sous, dit le vieux, qui sait combien coûte un billet d'avion de Rome à ici. Papa, dit-il en prenant congé, ne joue pas au vieux juif grippe-sou, je t'en prie. Je suis un vieux juif grippe-sou, dit le vieux, que pourrais-je être sinon un vieux juif grippe-sou ?, avant de t'en aller ouvre la fenêtre, s'il te plaît, si l'infirmière sent l'odeur de la fumée elle va s'énerver.

2

Heureusement il n'avait qu'un bagage à main, juste ce qu'il fallait pour un week-end, sans quoi l'attente à la file de la consigne des valises lui aurait fait perdre qui sait combien de temps. Quand de la salle des arrivées il déboucha dans le hall de l'aéroport il fut surpris par la lumière aveuglante beaucoup plus féroce que celle de Rome, et surtout il ressentit la chaleur et en fut presque stupéfait, comme s'il avait oublié que fin avril à Tel-Aviv c'est pratiquement l'été, et son odorat cueillit quelques parfums familiers qui lui aiguisèrent l'appétit. Il devait y avoir dans les parages le chariot de quelque vendeur ambulant qui faisait frire des *felafel*, il regarda autour de lui parce qu'il eut l'idée d'en acheter un sachet pour l'apporter à son père, il savait bien qu'il allait s'entendre dire que les *felafel* ne soutenaient pas la comparaison avec les *covrigi* roumains, que sa mère avait cuisinés toute sa vie, mais à l'aéroport Ben Gourion on ne pouvait pas prétendre trouver des *covrigi*, il aurait pu en avoir dans un bistrot roumain proche du marché du Carmel, mais qui sait combien de temps il allait perdre à cause de la circulation. Il repéra le petit bonhomme qui vendait les *felafel*, en acheta une petite barquette, et se mit dans la file pour le taxi. Il lui en échut un conduit par un jeune Palestinien, un jeune homme imberbe avec une esquisse de duvet au-dessus de la lèvre supérieure et qui comme ça à vue d'œil ne lui parut pas même majeur. Il lui parla en arabe, pour ne pas l'obliger à parler en hébreu. Tu as le permis ?, lui demanda-t-il. Le jeune garçon le regarda avec des yeux écarquillés. Vous croyez que j'ai envie de me faire arrêter ?, répondit-il, ils arrêtent tout le monde, on finit en prison pour moins que ça. La réponse le perturba : ils arrêtent tout le monde, qui ça ils ?, son pays, pensa-t-il, « ils » c'était son pays. Il lui indiqua la destination de manière approximative. Du côté de Ben Yehuda, dit-il, ensuite je t'expliquerai l'endroit exact. Un endroit élégant, observa le jeune garçon avec un sourire malin. Très élégant, dit-il à son tour, c'est un hospice pour vieillards. Le chauffeur de taxi s'était à peine enfilé dans le trafic quand une idée lui vint. Tu connais une bonne pâtisserie palestinienne ? Les *felafel* il les avait, les *covrigi* il n'avait pas envie d'aller en chercher, pourquoi ne pas apporter à son père une spécialité palestinienne ?, il l'avait entendu dire pendant toute son enfance que les juifs roumains étaient les Palestiniens d'Israël. J'en connais une extraordinaire, répondit le chauffeur de taxi avec enthousiasme, mon frère y travaille, ils font même un baklava qu'on ne trouve plus nulle part ailleurs. Le baklava n'est pas palestinien, c'est irakien, dit-il, ne le prends pas mal, c'est irakien, sans vouloir t'offenser. Mais quoi irakien, répondit le garçon scandalisé, elle est bien bonne.

L'infirmière à l'entrée lui dit que son père était probablement sur la terrasse commune, c'était l'heure à laquelle on servait le thé aux pensionnaires. Il le trouva assis à une table en compagnie de trois de ses amis en train de bavarder tranquillement. À côté de sa tasse de thé était posé un jeu de cartes, peut-être avaient-ils fait une partie. Il fut presque surpris de le voir se lever et venir à sa rencontre les bras ouverts avec sur le visage un air joyeux qu'il ne lui connaissait pas. Ils s'assirent à une table à part, il glissa les deux petits sachets sur la table, il n'eut pas le temps de dire un mot que déjà son père lui demandait s'il voulait un thé ou un café, il ne l'avait jamais vu si prévenant. Comment vas-tu ?, lui demanda-t-il. Très bien, répondit le vieux, je n'ai jamais été aussi bien. Il avait une expression malicieuse dans les yeux, un sourire presque entendu, comme quelqu'un qui cherche de la complicité pour quelque chose. Tu dors bien ?, lui demanda le fils. Mieux qu'un enfant, répondit le vieux. La terrasse faisait le tour du bâtiment, au dernier étage, mais de la table où ils étaient assis on ne voyait pas la mer, on voyait seulement la ville resplendissante sous le soleil de l'après-midi. Ils demeurèrent silencieux. Son père lui demanda une cigarette. Le fils ne fumait pas, mais il avait acheté un paquet de cigarettes à l'aéroport, il se munissait toujours d'un paquet de cigarettes quand il allait lui rendre visite. Le vieux s'appuya contre le dossier de la chaise, aspira avec satisfaction une bouffée de fumée et d'un ample geste du bras, comme qui montre à un visiteur quelque chose lui appartenant, il lui indiqua la ville étendue à leurs pieds. Je suis content que tu sois revenu, dit-il, il était temps. Il répéta l'ample geste de son bras en l'air. Pendant toutes ces années Bucarest n'a pas du tout changé, dit-il en souriant, tu ne trouves pas ?

CONTRETEMPS

Les choses s'étaient passées ainsi :

L'homme s'était embarqué d'un aéroport italien, car tout commençait en Italie, et que ce fût Milan ou Rome était secondaire, l'important est qu'il s'agissait d'un aéroport italien qui permettait de prendre un vol direct pour Athènes, et de là, après une brève halte, une correspondance pour la Crète avec l'Aegean Airlines, parce que de cela il était sûr, que l'homme avait voyagé avec l'Aegean Airlines, il avait donc pris en Italie un avion qui lui offrait une correspondance d'Athènes pour la Crète vers les deux heures de l'après-midi, il avait consulté tout cela sur l'horaire de la compagnie grecque, ce qui signifie qu'il était arrivé en Crète vers trois heures, trois heures et demie de l'après-midi. L'aéroport de départ a de toute façon une importance toute relative dans l'histoire de celui qui avait vécu cette histoire, c'est un matin d'une quelconque journée de fin avril deux mille huit, une journée splendide, presque estivale. Ce qui n'est pas un détail insignifiant, parce que l'homme sur le point de prendre l'avion, méticuleux comme il était, donnait beaucoup d'importance au temps et suivait un canal satellite dédié à la météo de toute la planète, et le temps, avait-il vu, était vraiment splendide en Crète : vingt-neuf degrés dans la journée, ciel dégagé, humidité dans les normes saisonnières, un temps de mer, vraiment adapté à la détente sur une de ces plages blanches dont parlait le guide, se plonger dans la mer bleue et jouir de vacances méritées. Parce que c'était aussi la raison du voyage de l'homme qui était sur le point de vivre cette histoire : des vacances. Et c'est en effet ce qu'il pensa, assis dans la salle d'attente des vols internationaux de Roma-Fiumicino, en attendant que le haut-parleur fasse l'appel de l'embarquement pour Athènes.

Et le voilà finalement dans l'avion, installé confortablement en classe affaires — il s'agit d'un voyage payé, comme on le verra plus tard —, rassuré par la prévenance du personnel de vol. L'âge est difficile à définir, y compris pour celui qui connaissait l'histoire que l'homme était en train de vivre : disons entre cinquante et soixante ans, maigre, robuste, d'allure saine, les cheveux grisonnants, petite moustache fine et blonde, lunettes de presbyte en plastique pendues au cou. La profession. Sur ce point aussi celui qui connaissait son histoire avait quelque incertitude. Il pouvait s'agir d'un manager de multinationale, un de ces hommes d'affaires anonymes qui passent leur vie dans un bureau et dont un jour le siège central reconnaît les mérites. Mais également d'un biologiste marin, un de ces savants qui en observant au microscope les algues et les micro-organismes sans bouger de leur laboratoire sont en mesure d'affirmer que la Méditerranée deviendra un jour une mer tropicale comme elle le fut peut-être il y a des millions d'années. Mais cette hypothèse aussi lui paraissait peu satisfaisante, les biologistes qui étudient la mer ne restent pas toujours enfermés dans leur laboratoire, ils arpentent plages et rochers, peut-être plongent-ils, font des relevés scientifiques personnels, et ce passager assoupi sur son siège affaires d'un vol pour Athènes n'avait en rien l'aspect d'un biologiste marin, peut-être était-ce un homme qui allait le week-end dans un gymnase et gardait son corps en bonne forme, tout simplement. Mais bon, s'il allait vraiment dans un gymnase, pourquoi y allait-il ? Dans quel but maintenait-il à son corps un aspect si juvénile ? Il n'y avait pas vraiment de motif : avec la femme qu'il avait considérée comme la compagne de sa vie c'était fini depuis longtemps, il n'avait pas d'autre compagne ni d'amante, il vivait seul, se tenait loin de tout engagement sérieux, à part quelques rares aventures comme cela peut arriver à tout le monde. L'hypothèse la plus crédible était peut-être qu'il était naturaliste, un moderne disciple de Linné, et qu'il se rendait à un congrès en Crète en compagnie d'autres experts en plantes et herbes médicinales qui abondent dans cette île. Car une chose est sûre, il se rendait à un colloque de chercheurs comme lui, c'était un voyage qui récompensait une vie entière de travail et de dévouement, le colloque se tenait dans la ville de Réthymnon, il allait être logé dans un hôtel composé de bungalows de catégorie cinq étoiles, à quelques kilomètres de Réthymnon, où une voiture de service le conduirait l'après-midi, et il avait toutes les matinées à disposition.

L'homme se réveilla, il prit dans son bagage à main le guide et chercha l'hôtel où il allait loger. Le résultat le rassura : deux restaurants, une piscine, service en chambre, l'hôtel, fermé en hiver, rouvrait seulement à la mi-avril, ce qui signifiait qu'il ne devait y avoir que très peu de touristes, les clients habituels, des Nordiques assoiffés de soleil comme les définissait le guide, étaient encore dans leurs petites maisons boréales. La gentille voix au micro pria d'attacher les ceintures, la descente avait commencé vers Athènes où ils allaient atterrir dans vingt minutes environ. L'homme releva la tablette et redressa le dossier de son siège, rangea le guide dans son bagage à main et prit dans le petit filet du siège devant lui le journal que l'hôtesse avait distribué et auquel il n'avait pas prêté attention. C'était un journal avec beaucoup de suppléments en couleurs, comme ça se fait désormais le week-end, le supplément économique et financier, celui du sport, celui de la décoration et le *magazine.* Il laissa tomber tous les suppléments, ouvrit le *magazine* sur la couverture duquel, en noir et blanc, se trouvait la photographie du champignon de la bombe atomique, avec ce titre : « Les grandes images de notre temps. » Il commença de le feuilleter avec une certaine réticence. Après la publicité de deux stylistes avec un jeune homme torse nu, que pour un peu il pensa être une grande image de notre temps, arrivait la première vraie grande image de notre temps : la plaque de pierre d'une maison d'Hiroshima où par la chaleur de la bombe atomique le corps d'un homme s'était liquéfié en y laissant imprimée sa propre ombre. Il ne l'avait jamais vue et s'en étonna, en éprouvant une sorte de remords contre lui-même : cette chose avait eu lieu il y a plus de soixante ans, était-ce possible qu'il ne l'eût jamais vue ? L'ombre sur la pierre était de profil, et dans le profil il lui sembla reconnaître son ami Ferruccio qui le réveillon de l'an mil neuf cent quatre-vingt-dix-neuf, peu avant minuit, sans motifs compréhensibles s'était jeté du dixième étage d'un immeuble de la via Cavour. Était-il possible que le profil de Ferruccio, qui s'était écrasé sur le sol le trente et un décembre mil neuf cent quatre-vingt-dix-neuf, ressemblât au profil absorbé par une pierre d'une ville japonaise en mil neuf cent quarante-cinq ? L'idée était absurde, et pourtant elle lui traversa l'esprit dans toute son absurdité. Il continua de feuilleter la revue, et son cœur se mit à battre à un rythme désordonné, un-deux-pause, trois-un-pause, deux-trois-un, pause-pause-deux-trois, ce qu'on appelle les extrasystoles, rien de pathologique, lui avait garanti le cardiologue après une journée entière d'examens, juste un état d'anxiété. Mais alors, pourquoi ? Ce ne pouvaient pas être ces images qui provoquaient son émotion, il s'agissait de choses lointaines. Cette gamine nue aux bras levés qui courait vers l'appareil photographique sur fond de paysage apocalyptique il l'avait déjà vue plus d'une fois sans éprouver une impression si violente, et maintenant au contraire elle provoquait en lui un fort tourment. Il tourna la page. Au bord d'une fosse il y avait un homme agenouillé avec les mains liées tandis qu'un petit gars à l'air sadique pointait un pistolet sur sa tempe. Khmers rouges, disait la légende. Pour se rassurer il s'obligea à penser que c'était aussi des choses d'endroits lointains et désormais éloignées dans le temps, mais cette pensée ne fut pas suffisante, une étrange forme d'émotion, qui était presque une pensée, lui disait le contraire, cette atrocité avait eu lieu hier, ou plutôt elle avait eu lieu justement ce matin-là, pendant qu'il prenait l'avion, et par sorcellerie elle s'était imprimée sur cette page qu'il était en train de regarder. La voix du haut-parleur annonça que pour cause de trafic l'atterrissage était retardé d'un quart d'heure, pendant ce temps les passagers pouvaient jouir du panorama. L'avion dessina un ample virage, en s'inclinant sur la droite, du hublot opposé il réussit à apercevoir le bleu du ciel tandis que son hublot à lui encadrait la blanche ville d'Athènes, avec une tache verte au milieu, certainement un parc, puis l'Acropole, on voyait parfaitement l'Acropole, et le Parthénon, il sentit que les paumes de ses mains étaient moites, il se demanda si ce n'était pas une sorte de panique provoquée par l'avion qui tournait dans le vide, et pendant ce temps il regardait les photos d'un stade où les policiers avec leurs casques blindés pointaient le canon de leurs mitraillettes sur un groupe d'hommes pieds nus, et au-dessous il y avait écrit : Santiago du Chili, 1973. Et sur la page d'à côté, une photographie qui lui sembla un montage, c'était certainement truqué, elle ne pouvait être vraie, il ne l'avait jamais vue : au balcon d'un palais du XIXe siècle on voyait le pape Jean-Paul II, aux côtés d'un général en uniforme. Le pape était sans nul doute le pape, et le général était sans nul doute Pinochet, avec ces cheveux pleins de brillantine, le visage grassouillet, les petites moustaches et les lunettes Ray-Ban. La légende disait : le chef de l'Église lors de sa visite officielle au Chili, avril 1987. Il se mit à feuilleter la revue en vitesse, comme anxieux d'arriver au bout, presque sans regarder les photographies, mais il y en a une devant laquelle il dut s'arrêter, on voyait un jeune homme de dos face à un fourgon de police, le jeune homme avait les bras levés comme si son équipe préférée avait marqué un but mais en regardant mieux on comprenait qu'il était en train de tomber en arrière, que quelque chose de plus fort que lui l'avait abattu. Il y avait écrit : Gênes, juillet 2001, réunion des huit pays les plus riches du monde. Les huit pays les plus riches du monde : la phrase provoqua en lui une étrange sensation, comme quelque chose qui est à la fois compréhensible et absurde, car elle était compréhensible et cependant absurde. Chaque photographie avait une page argentée comme si c'était Noël, avec la date en gros caractères. Il était arrivé à deux mille quatre, mais il hésita, il n'était pas sûr de vouloir voir la photographie suivante, était-il possible que pendant ce temps l'avion ait continué à faire des ronds dans le vide ?, il tourna la page, on voyait un corps nu épuisé par terre, c'était de toute évidence un homme mais sur la photo la zone du pubis avait été floutée, un soldat en treillis allongeait une jambe vers le corps comme pour éloigner du pied un sac d'ordures, le chien en laisse essayait de mordre l'homme, les muscles de l'animal étaient tendus comme la corde à laquelle il était attaché, dans l'autre main le soldat semblait avoir une cigarette. On pouvait lire : prison d'Abu Ghraib, Irak, 2004. Après celle-là, il arriva à la page où était écrit le chiffre de l'année en cours, l'an de grâce deux mille huit après Jésus-Christ, c'est-à-dire qu'il se trouva en synchronie, c'est ce qu'il pensa sans toutefois savoir avec quoi, il était en synchronie. Quelle était l'image avec laquelle il se trouvait en synchronie il l'ignorait, mais il ne tourna pas la page, et pendant ce temps l'avion était finalement en train d'atterrir, il vit la piste qui se déroulait sous lui avec les raies blanches intermittentes qui sous l'effet de la vitesse devenaient une ligne continue. Il était arrivé.

L'aéroport Venizélos semblait flambant neuf, il avait certainement été construit à l'occasion des jeux Olympiques. Il se réjouit intérieurement de réussir à gagner la salle d'embarquement pour la Crète en se passant de lire les inscriptions anglaises, le grec appris au lycée lui servait encore, c'était curieux. Quand il descendit à l'aéroport de Hania il ne se rendit quasiment pas compte qu'il était désormais arrivé à destination : lors du bref vol d'Athènes à la Crète, un peu moins d'une heure, il s'était endormi profondément en oubliant tout, lui parut-il, jusqu'à lui-même. À tel point que quand il descendit de la passerelle de l'avion dans cette lumière africaine il se demanda où il était, pourquoi il y était, et même qui il était, et dans cette stupeur du néant il se sentit néanmoins heureux. Sa valise ne tarda pas à arriver sur le tapis roulant, à peine sorti des salles d'embarquement il y avait les bureaux des loueurs de voitures, il ne se rappelait plus les instructions, Hertz ou Avis? Si ce n'était pas l'un c'était l'autre, heureusement il devina du premier coup, avec les clés de la voiture on lui remit une carte routière de la Crète, un exemplaire du programme du colloque, la réservation de l'hôtel et l'itinéraire à suivre pour gagner le village touristique où étaient logés les participants. Itinéraire qu'il connaissait désormais par cœur, car il l'avait étudié et revu dans son guide, bien fourni en cartes routières : de l'aéroport on descend directement au bord de la mer, la direction est obligée, à moins que tu ne veuilles aller vers les plages de Marathi, il faut alors tourner à droite, parce que sans cela on finit à l'ouest, et lui il allait à l'est, vers Iráklion, tu passes devant l'hôtel Doma, tu parcours la Venizélos et suis les panneaux verts qui indiquent l'autoroute, laquelle est en fait une voie rapide du littoral, il faut sortir peu après Georgioupolis, lieu vacancier à éviter, comme le précisait le guide, et suivre les indications de l'hôtel, Beach Resort, c'était facile.

L'automobile, une Volkswagen noire garée au soleil, était bouillante, mais il attendit à peine qu'elle se rafraîchisse avec les portières ouvertes, il y entra comme s'il était en retard à un rendez-vous, mais il n'était pas en retard et il n'avait pas de rendez-vous, c'était quatre heures de l'après-midi, il gagnerait l'hôtel en un peu plus d'une heure, le colloque n'allait commencer que le lendemain soir, avec un banquet officiel, il avait plus de vingt-quatre heures de liberté, quelle urgence y avait-il ? Aucune urgence. Après quelques kilomètres un panneau touristique indiquait la tombe de Venizélos, à quelques centaines de mètres de la route principale. Il décida de faire une brève pause pour se rafraîchir avant le voyage. À côté de la porte du monument se trouvait un glacier, avec une grande terrasse en plein air d'où l'on dominait la petite ville. Il s'installa à une table, commanda un café à la turque et un sorbet au citron. La ville qu'il regardait avait appartenu aux Vénitiens puis aux Turcs, elle était belle, et d'une blancheur qui blessait presque les yeux. Maintenant il se sentait bien, avec une énergie insolite, le malaise éprouvé dans l'avion avait tout à fait disparu. Il regarda la carte routière : pour rejoindre la voie rapide pour Iráklion il pouvait traverser la ville ou contourner le golfe de Souda, cela faisait quelques kilomètres de plus. Il choisit le second itinéraire, le golfe vu d'en haut était très beau et la mer d'un bleu intense. La descente de la colline jusqu'à Souda fut agréable, derrière le maquis et les toits de quelques maisons on voyait de petites criques de sable blanc, il eut une grande envie de se baigner, éteignit la climatisation et baissa la vitre pour recevoir sur le visage cet air chaud qui sentait la mer. Il dépassa le petit port industriel, le centre habité et arriva au croisement où il fallait tourner à gauche pour s'engager sur la route qui menait à la voie rapide du littoral conduisant à Iráklion. Il mit le clignotant à gauche et s'arrêta. Une voiture klaxonna derrière lui en l'invitant à avancer : personne n'arrivait de l'autre côté. Il n'avança pas, laissa la voiture le dépasser, puis mit le clignotant à droite et s'engagea dans la direction opposée, où un panneau indiquait Mourniès.

Et à présent on est en train de le suivre, le personnage inconnu qui est arrivé en Crète pour rejoindre une agréable localité marine et qui à un certain moment, brusquement, pour une raison elle aussi inconnue, a pris une route en direction des montagnes. L'homme poursuivit jusqu'à Mourniès, traversa le village comme s'il savait où aller, sans savoir où il allait. En réalité il ne pensait pas, il conduisait et c'est tout, il savait qu'il allait vers le Sud, le soleil encore haut était déjà dans son dos. Depuis qu'il avait changé de direction il avait retrouvé cette sensation de légèreté qu'il avait éprouvée pendant quelques instants à la petite table du glacier en regardant d'en haut l'ample horizon : une légèreté insolite, et en même temps une énergie dont il ne gardait pas mémoire, comme s'il était redevenu jeune, une sorte de subtile ivresse, presque un petit bonheur. Il arriva jusqu'à un village qui s'appelait Fournès, traversa le bourg avec assurance, comme s'il connaissait déjà la route, il s'arrêta à un croisement, la route principale continuait sur la droite, il s'engagea sur la route secondaire qui indiquait Lefka Ori, les montagnes blanches. Il poursuivit tranquillement, la sensation de bien-être se transformait en une sorte d'allégresse, un air de Mozart lui vint en tête et il sentit qu'il pouvait en reproduire les notes, il commença à les siffloter avec une facilité qui le stupéfia, en se trompant de ton de façon pitoyable sur un ou deux passages, ce qui le fit rire. La route filait entre les âpres gorges d'une montagne. C'étaient des lieux beaux et sauvages, l'automobile parcourait une étroite bande d'asphalte le long du lit d'un torrent à sec, à un moment le lit du torrent disparut entre les pierres et l'asphalte se transforma en un sentier de terre, dans une plaine dénudée au milieu des montagnes inhospitalières, pendant ce temps la lumière tombait, mais il allait de l'avant comme s'il connaissait déjà cette route, comme quelqu'un qui obéit à une mémoire ancienne ou à un ordre reçu en rêve, et à un certain point il vit sur un poteau branlant une pancarte en fer-blanc avec des trous comme si elle avait été transpercée par des balles ou par le temps et qui disait : Monastiri, le monastère. Il suivit cette direction comme si ça avait été ce qu'il attendait jusqu'à ce qu'il voie un petit monastère avec un toit à moitié en ruine. Il comprit qu'il était arrivé. Il descendit. La porte dégondée de ces ruines penchait vers l'intérieur. Il pensa qu'il n'y avait désormais plus personne dans ce lieu, un essaim d'abeilles sous le petit portique semblait en être l'unique gardien. Il descendit et attendit comme s'il avait rendez-vous. Il faisait presque nuit. Dans l'embrasure de la porte apparut un moine, très vieux et se déplaçant avec difficulté, il avait l'aspect d'un anachorète, avec les cheveux hirsutes sur les épaules et une barbe jaunâtre, que veux-tu ?, lui demanda-t-il en grec. Tu connais l'italien ?, répondit le voyageur. Le vieux fit un signe d'assentiment de la tête. Un peu, murmura-t-il. Je suis venu prendre le relais, dit l'homme.

Les choses s'étaient donc passées ainsi, et il n'y avait pas d'autre conclusion possible, parce que cette histoire ne prévoyait pas d'autre conclusion possible, mais celui qui connaissait cette histoire savait qu'il ne pouvait pas la laisser avec une telle conclusion, et là il faisait un saut dans le temps, et grâce à un de ces sauts dans le temps qui ne sont possibles que dans les récits il se trouvait dans le futur, par rapport à ce mois d'avril deux mille huit. De combien d'années on ne sait pas, et celui qui connaissait l'histoire se maintenait dans le flou, vingt ans, par exemple, qui dans la vie d'un homme sont beaucoup, parce que si en deux mille huit un homme de soixante ans est en pleine forme et en pleine possession de ses moyens, en deux mille vingt-huit ce sera un vieillard, avec un corps usé par le temps. C'est ainsi que celui qui connaissait cette histoire imaginait la suite de l'histoire, et nous acceptons donc de nous trouver en deux mille vingt-huit, ou même plus tard, et à ce point celui qui imaginait la suite de cette histoire voyait deux jeunes, un garçon et une fille, avec des shorts en cuir et des chaussures de marche, qui faisaient un voyage à travers les montagnes de Crète. La fille disait à son compagnon : d'après moi ce vieux guide que tu as trouvé dans la bibliothèque de ton père n'a aucun sens, le monastère sera à présent un tas de pierres plein de lézards, pourquoi nous ne retournons pas vers la mer ? Et le garçon répondait : je crois que tu as raison. Mais au moment précis où il disait ça elle répliquait : mais non, allons de l'avant, encore un peu, on ne sait jamais. Et de fait il suffisait de contourner l'âpre colline de pierres rouges qui coupait une partie du paysage et le monastère était là, ou plutôt ses ruines, et les jeunes gens avançaient, le vent soufflait entre les gorges et soulevait de la poussière, la porte du monastère s'était écroulée, des nids de guêpes défendaient cette grotte vide, et les jeunes gens avaient déjà tourné le dos à cette mélancolie quand ils entendirent une voix. Dans l'embrasure obscure de la porte se trouvait un homme, c'était un homme très vieux et il avait un aspect épouvantable, avec une longue barbe blanche sur la poitrine et des cheveux hirsutes sur les épaules. Oooh, appela la voix. Et rien d'autre. Les jeunes gens s'arrêtèrent. L'homme demanda : vous comprenez l'italien ? Les jeunes gens ne répondirent pas. Que s'est-il passé depuis deux mille huit ?, insista le vieillard. Les deux jeunes gens se regardèrent, ils n'avaient pas le courage d'échanger un mot. Vous avez des photographies ?, demanda encore le vieillard, que s'est-il passé depuis deux mille huit? Puis il fit un signe de la main, comme pour les chasser, mais peut-être chassait-il les guêpes qui tourbillonnaient devant le portique, et il rentra dans l'obscurité de sa grotte.

L'homme qui connaissait cette histoire savait qu'elle ne pouvait finir d'aucune autre manière. Avant de les écrire, il aimait se raconter ses histoires. Et il se les racontait de manière si parfaite, avec tous les détails, mot à mot, qu'on peut dire qu'elles étaient écrites dans sa mémoire. Il se les racontait de préférence tard le soir, dans la solitude de cette grande maison vide, ou durant certaines nuits où il n'arrivait pas à trouver le sommeil, certaines nuits où l'insomnie ne lui concédait rien d'autre que l'imagination, c'est peu de chose, mais l'imagination lui donnait un réel tellement vivant qu'il semblait plus réel que le réel qu'il était en train de vivre. La chose la plus difficile n'était cependant pas de se raconter ses propres histoires, ça c'était facile, c'était comme s'il voyait écrits sur l'écran sombre de sa chambre les mots avec lesquels il les racontait, quand l'absence de sommeil lui tenait les yeux ouverts. Et cette histoire-là, qu'il s'était racontée de si nombreuses fois qu'elle lui semblait un livre déjà écrit et qui était très facile à dire dans la parole mentale avec laquelle il se la racontait, était en revanche très difficile à écrire avec les lettres de l'alphabet auxquelles lui aussi avait recours quand la pensée doit se faire concrète. C'était comme s'il lui manquait le principe de réalité pour écrire son histoire, et c'était pour cela, pour vivre la réalité effective de ce qui était réel en lui mais qui ne réussissait pas à devenir vraiment réel, qu'il avait choisi ce lieu. Son voyage était préparé dans chaque détail. Il arriva à l'aéroport de Chania, récupéra sa valise, entra dans le bureau de Hertz, retira les clés de la voiture. Trois jours ?, lui demanda tout étonné l'employé. Qu'y a-t-il d'étrange ?, dit-il. Personne ne vient en vacances en Crète pour trois jours, répondit l'employé en souriant. J'ai un long week-end, dit-il, pour ce que j'ai à faire ça me suffit.

La lumière de la Crète était belle, elle n'était pas méditerranéenne, elle était africaine, pour rejoindre le Beach Resort il allait mettre une heure et demie, maximum deux, même en allant doucement il arriverait vers six heures, une douche et il se mettrait aussitôt à écrire, le restaurant de l'hôtel était ouvert jusqu'à onze heures, c'était jeudi soir, il compta : vendredi, samedi et dimanche à journées faites, trois jours pleins. Cela suffisait, tout était déjà écrit dans sa tête.

Pourquoi tourna-t-il à gauche à ce feu il n'aurait su le dire. On distinguait nettement les pylônes de la voie rapide, encore quatre ou cinq cents mètres et il allait s'engager sur la littorale pour Iráklion. Et au lieu de ça il tourna à gauche, là où un petit panneau bleu lui indiquait une localité inconnue. Il pensa qu'il y avait déjà été, parce qu'en un instant il vit tout : une route flanquée d'arbres avec de rares maisons, une modeste place avec un monument moche, une corniche rocheuse, une montagne. Ce fut un éclair. C'est cette chose étrange que la médecine ne sait pas expliquer, se dit-il, on appelle ça *déjà-vu*, mais ça ne m'était jamais arrivé. Pourtant l'explication qu'il se donna ne le rassura pas, parce que le déjà-vu perdurait, il était plus fort que ce qu'il voyait, il entourait comme une membrane la réalité environnante, les arbres, les montagnes, les ombres du soir, jusqu'à l'air qu'il respirait, il se sentit pris d'un vertige et eut la crainte d'être englouti par celui-ci, mais ce ne fut qu'un instant, car en se dilatant cette sensation subissait une étrange métamorphose comme un gant qui en se retournant emporte avec lui la main qu'il recouvrait, tout changea de perspective, d'un coup il éprouva l'ivresse de la découverte, une subtile nausée et une mortelle mélancolie, mais aussi un sens infini de libération, comme quand nous comprenons finalement quelque chose que nous savions depuis toujours et que nous ne voulions pas savoir : ce n'était pas le déjà-vu qui l'engloutissait dans un passé jamais vécu, c'était lui qui capturait le déjà-vu dans un futur encore à vivre. Tandis qu'il conduisait sur cette petite route au milieu des oliviers qui le menait vers les montagnes, il était conscient qu'à un certain point il allait trouver un vieux panneau rouillé plein de trous sur lequel était écrit : Monastiri. Et qu'il allait le suivre. Maintenant tout était clair.

Certaines de ces histoires, avant de trouver vie dans ce livre, ont existé dans la réalité. Je me suis limité à les écouter et à les raconter à ma façon. Le récit *Le cercle* est dédié à Groune de Chouque. *Entre généraux* est dédié à Norman et Cella Manea. *Festival* est dédié à Krzysztof Piesiewicz ; *Bucarest n'a pas du tout changé* est dédié à Alon Altaras et a une dette à l'égard d'une photographie de Münir Göle. *Yo me enamoré del aire* est dédié à Davide Benati. *Ploc plof, ploc plof* a été écrit à Sifnos, dans la maison de Ioanna Koutsoudaki, et lui est dédié. *Nuages* est dédié à Ernesto Chicca, Piero. *Les morts à table* est dédié à Maria José, qui ce jour-là était avec moi à Berlin.

Je remercie Riccardo Barontini, Caterina Lugliè et Enza Perdichizzi de l'aide pas seulement concrète qu'ils m'ont apportée dans la transcription de ce livre.

Composition CMB Graphic
Achevé d'imprimer
sur Roto-Page
par l'Imprimerie Floch
à Mayenne, le 11 juin 2009.
Dépôt légal : juin 2009.
1er dépôt légal : avril 2009.
Numéro d'imprimeur : 74097.

ISBN : 978-2-07-012588-3 / Imprimé en France

170820